GLI ADELPHI
135

Norman Lewis ha pubblicato, oltre a numerosi romanzi (fra cui *The Volcanoes Above Us*), libri di viaggi (*A Dragon Apparent*, *Golden Earth*) e saggi, come *The Honoured Society*, studio sulla mafia siciliana apparso a puntate sul «New Yorker». Uscito in Inghilterra nel 1978, *Napoli '44* è stato definito «uno dei dieci libri da salvare sulla seconda guerra mondiale» («The Saturday Review»). Di Norman Lewis sono apparsi presso Adelphi *Niente da dichiarare* (2000) e *Un viaggio in sambuco* (2014).

*Norman Lewis*

# Napoli '44

ADELPHI EDIZIONI

TITOLO ORIGINALE:
*Naples '44*

Traduzione di Matteo Codignola


WWW.ADELPHI.IT

ISBN 978-88-459-1397-6

| Anno | | | | Edizione | | | | | | |
|---|---|---|---|---|---|---|---|---|---|---|
| 2026 | 2025 | 2024 | 2023 | 11 | 12 | 13 | 14 | 15 | 16 | 17 |

# NAPOLI '44

*A tutti i miei amici*
*di Napoli, e in particolare*
*a Sergio Viggiani*

# INTRODUZIONE

Nella seconda guerra mondiale, i volontari delle forze armate in possesso di un titolo di studio in lingue, anche se venivano da università di scarso prestigio, o nemmeno avevano fatto l'università, erano spesso destinati all'Intelligence Corps. Seguivano quattro mesi di normale addestramento di fanteria, più altri due al Deposito di Winchester, dedicati quasi interamente alle marce da parata e a imparare a guidare la motocicletta. Solo quello che insegnavano nelle ultime due settimane, a Matlock, aveva a che fare col servizio segreto vero e proprio. Allo scadere di questi quindici giorni, gli allievi considerati promettenti andavano a colloquio dal Selection Officer, che fingeva di voler discutere del loro futuro. Quello che l'allievo non sapeva era che, per quanto incoraggiante fosse il rapporto sulla scrivania del maggiore, o promettente il dialogo che ne seguiva, il suo destino era stato deciso nell'istante stesso in cui l'ufficiale aveva proceduto a un primo, rapido esame della sua faccia. Il Selection Officer era convinto che l'azzurro fosse il colore della verità. Gli allievi con gli occhi azzurri, quindi, si vedevano affidare incarichi di responsabilità, magari anche affascinanti, mentre gli altri venivano scaricati nell'immondezzaio di quella che allora si chiamava Field Security Police. Qui dovevano affrontare compiti ingrati, come tenere lezioni in puro stile militaresco intercalate da appelli ai «fottuti lavativi» per avere un po' d'attenzione, curiosare nei pressi delle installazioni militari, attirandosi l'antipatia di tutti, nella speranza di pizzicare una sentinella distratta, scoprire pezzetti ancora leggibili di scartoffie che non erano state bruciate correttamente, inventarsi voci allarmanti con le quali riempire il vuoto del rapporto settimanale.

Per togliersi d'impiccio bisognava farsi assegnare a una sezione d'oltremanica. La maggior parte di queste, inizialmente composte da un ufficiale e undici sottufficiali, era di stanza nelle città e nei porti principali di tutti i paesi che ospitavano truppe britanniche. Altre, note come Divisional Sections, seguivano le truppe sul campo.

Per quanto vaghi fossero, nei primi tempi, i loro compiti oltremare, gli uomini della Field Security vennero sempre più frequentemente impiegati soprattutto come interpreti, per stabilire un contatto tra i militari e la popolazione civile. Spesso, il contatto era rabberciato, approssimativo. Al corpo, gli ufficiali responsabili della selezione erano rudi uomini d'armi che non si perdevano certo in sottigliezze linguistiche. Piuttosto che lasciare inattivo, per esempio, chi parlava lo spagnolo, lo mandavano in Italia, non essendovi alcun dubbio che le due lingue fossero molto simili per grafia e pronuncia. Era anche tipico che un poveraccio di lingua romena si ritrovasse a farfugliare e a farsi capire a gesti in mezzo a partigiani jugoslavi (si trattava pur sempre di due lingue balcaniche), o che l'ufficiale della 91ª Field Security Section con la quale arrivai in Algeria fosse un'autorità in antico nordico, ma non sapesse niente di francese.

Nuovo di zecca e in tutto il suo candore, il Field Security Service (come si era in fretta ribattezzato), si trovò a fronteggiare emergenze che in Inghilterra non si erano nemmeno immaginate, e senza regole cui attenersi. Un'infarinatura sulla situazione politica del paese in cui ci trovavamo sarebbe stata d'aiuto, ma non ce l'avevano data, cosicché procedevamo faticosamente per tentativi ed errori. La prima mossa della 91ª a Philippeville – dopo che il Field Security Officer ebbe convocato i notabili della città e tenuto di fronte a loro un discorsetto in latino – fu di far uscire di galera un certo Giuseppe Moreno, che ci aveva convinto di essere un fervente gollista perseguitato dal regime di Vichy a causa delle sue simpatie per gli Alleati. In realtà Moreno era il capo di un ramo della mafia siciliana emigrato in Algeria, e sulla sua testa pendeva una condanna a morte per l'assassinio di un rivale. Errori del genere devono essere stati piuttosto frequenti.

I lettori di questo diario di un anno a Napoli saranno forse sorpresi nel notare lo scarso controllo esercitato sulle attività del personale della FS. Il grado di semi-indipendenza di cui godevamo di fatto variava da sezione a sezione, rispecchiando in parte la situazione militare e in parte l'indole del comandante, che poteva essere avventurosa o prudente. Nel complesso, la vita nella FS era libera, a volte magnificamente libera. Ma era una libertà che poteva dare alla testa. Protetti dalla generale confusione circa i loro compiti e i loro poteri, i sergenti «distaccati» in zone troppo remote per consentire un effettivo controllo da parte dei comandi finivano a volte col rispondere solo a se stessi, si lanciavano in spettacolari transazioni commerciali, s'immischiavano negli intrighi tribali, quando addirittura, come accadde in un caso, non sposavano la figlia di un capo berbero. Cose simili potevano succedere nelle inaccessibili montagne del Nordafrica, non però a Napoli, dove abbondavano le avventure, ma di tutt'altro genere.

Da parte mia, quel poco di arabo da bazar di Aden che masticavo mi tenne occupato con gli arabi del Nordafrica. Dapprima vennero i contatti con i caid dissidenti della Piccola Cabilia, che stavano progettando la futura insurrezione contro i dominatori francesi e che in quella fase sarebbero stati ben contenti se l'Algeria fosse diventata una colonia britannica. Subito dopo, in Tunisia, si ripropose pressappoco la stessa situazione, questa volta col coinvolgimento della famiglia reale tunisina. Fu mentre intrattenevo rapporti segreti con uno dei suoi membri che giunse il momento di riorganizzare le sezioni in vista dell'invasione dell'Italia. Il 1° settembre 1943 venni assegnato alla 312ª Field Security Section, che si era trasferita da Costantina a Orano ed era stata temporaneamente aggregata al Comando della Quinta Armata americana. Il 5 settembre salpammo a bordo della *Duchess of Bedford*, lasciando Mers-el-Kebir per unirci al convoglio dell'invasione che faceva rotta su Salerno.

*8 settembre 1943 (a bordo della «Duchess of Bedford», al largo delle coste italiane)*

Alle 18.30 ci è stata annunciata la firma di un armistizio con l'Italia che entrerà in vigore domani, quando dovremmo sbarcare a Salerno. È chiaro che nessuno sa cosa ci aspetti, anche se le incursioni aeree su parte del convoglio fanno ritenere che i tedeschi intendano continuare a combattere. Siamo stati a rapporto da un ufficiale dell'Intelligence, il quale ci ha rivelato, sorprendentemente, che, nonostante tutti gli agenti che credevamo stessero lavorando per noi in Italia, non ci è giunta alcuna informazione su quanto sta accadendo. Non si sa neppure se l'OVRA di Mussolini esista ancora. Di fatto, il rapporto è stato inutile, e avrebbe potuto essere riassunto in una frase sola: «Non sappiamo nulla».

Tutti i soldati a bordo, tranne noi, sono americani. Anche se siamo stati aggregati al Comando della Quinta Armata su loro richiesta, poiché non hanno un proprio servizio di sicurezza, ci trattano con indifferenza e ci lasciano cuocere nel nostro brodo. Fanno eccezione alcuni sergenti, giocatori di poker, che probabilmente nella vita civile sono professionisti del tavolo verde sui ferry-boat del Mississippi, e che in mezz'ora di gioco mi hanno ripulito delle vincite a poker accumulate nell'ultimo anno.

*9 settembre*

Stasera alle sette sbarcati a Paestum, sulla Spiaggia rossa. Dopo un cannoneggiamento navale all'alba e una breve battaglia per la testa di sbarco, uomini e mezzi hanno continuato a prendere terra per tutto il giorno. Ora, sul paesaggio che ci sta dinanzi regna una straordinaria calma apparente. All'ampia curva della baia, orlata da sottili pennellate di sabbia, fanno da sfondo montagne distanti, che raccolgono masse d'ombra nelle loro innumerevoli pieghe. Abbiamo visto il luccichio di case bianche tra boschi e frutteti, e in lontananza grappoli di paesi abbarbicati sulla cima delle colline. Qua e là, immobili colonne di fumo segnalavano la presenza della guerra, ma nell'insieme l'impressione era quella di una splendida, tranquilla sera di tarda estate su una spiaggia mitica dell'antichità.

Abbiamo scaricato le motociclette dai mezzi anfibi, le abbiamo avviate senza difficoltà, e superando i reticolati tesi sulla spiaggia ci siamo messi al riparo in un bosco. I cadaveri dei soldati uccisi nel corso della giornata erano stati composti in fila, fianco a fianco, spalla a spalla, con estrema precisione, quasi dovessero presentare le armi a un'ispezione della morte. Ne abbiamo contati undici, dieci sergenti e un sergente maggiore. Il Field Security Officer, capitano Cartwright, uscito malconcio da un incidente di macchina il giorno prima che ci imbarcassimo, è probabilmente ancora in ospedale a Orano. Non abbiamo ricevuto né istruzioni né ordini di alcun genere, e per quanto riguarda gli americani è come se nemmeno esistessimo. È stato il più grande sbarco dall'inizio della guerra, probabilmente il più grande della storia, e le navi che gremivano il mare fino all'orizzonte non si contavano, eppure noi eravamo impotenti e sperduti come pivellini. Nessuno sapeva dove fosse il nemico, ma i corpi sulla spiaggia ne attestavano quanto meno l'esistenza. Al posto dei cannoni, dei carri, dei blindati, del filo spinato che ci aspettavamo di vedere, in questo settore della spiaggia sono state sbarcate soltanto piramidi di materiale da ufficio a uso del Comando della Quinta Armata. Ci hanno consegnato una pistola Webley e cinque cartucce a testa. La maggior parte di noi non ha mai sparato un colpo.

Mentre il sole cominciava a immergersi maestosamente nel mare dietro di noi, abbiamo camminato senza meta in questo bosco pieno di cinguettii, e all'improvviso ci siamo ritrovati al suo margine. Al nostro sguardo si è offerta una scena di incanto soprannaturale. A qualche centinaio di metri si ergevano in fila, perfetti, i tre templi di Paestum, superbi e splendenti di luce rosata negli ultimi raggi del sole. È stata come un'illuminazione, una delle grandi esperienze della vita. Ma nel campo tra noi e i templi giacevano, zampe all'aria, due mucche pezzate. Siamo tornati cautamente nel fitto della macchia, ci siamo scavati una buca nel sottobosco, e appena calato il buio ci siamo addormentati. A un certo punto della notte mi sono svegliato nell'oscurità più assoluta sentendo dei movimenti tra i cespugli, poi un bisbiglio nel quale ho riconosciuto parole in tedesco. Le voci sono svanite in lontananza, e mi sono riaddormentato.

*10 settembre*

Una calda, tranquilla mattina. Ci siamo incamminati, cominciando a esplorare i nostri immediati dintorni, e stavamo ammirando lo splendido scheletro del Tempio di Nettuno quando la guerra ci ha raggiunto sotto forma di un caccia isolato. Sentendolo arrivare, ci siamo rannicchiati sotto un architrave. Il caccia è sceso in picchiata, ha aperto il fuoco con le mitragliatrici, quindi ha proseguito per andare a sganciare una sola bomba sulla spiaggia prima di virare in direzione nord. Uno dei miei compagni ha sentito un leggero colpo sullo zaino: si trattava di un bossolo di mitragliatrice, caduto poi a terra senza far danno. Tutto sommato, un'esperienza esilarante. Gustandone il lato paradossale non ci siamo spaventati.

Nel nostro piccolo, ci siamo assuefatti ai rischi della guerra. Qualche sensibile meccanismo incorporato nel sistema nervoso ha accettato, adattandovisi, una relativa perdita di sicurezza, e la minaccia di pericoli non gravi. Questa felice circostanza non si è verificata nel caso di alcuni soldati del Comando americano nei quali ci siamo imbattuti: assolutamente inesperti, sono stati sbarcati qui direttamente dalla pace eterna del loro Kansas o del loro Wisconsin. Lo stato dei loro nervi costituisce una minaccia ben più grave del Focke-Wulf 190 che ci ha fatto visita più o meno una volta all'ora. Bifolchi armati saltavano fuori a ogni istante da dietro qualche siepe, puntandoci addosso i fucili e urlandoci di rispondere con una controparola d'ordine che nessuno si era preso la briga di darci.

Il nostro isolamento continua. Probabilmente da qualche parte si combatte ancora, ma tutto quello che ne sappiamo sono voci raccolte mentre si fa la coda per il rancio. All'ora di pranzo, se il sergente maggiore tenta di parlare con qualche ufficiale del Comando, gli vien fatto segno di andarsene; abbiamo così completa libertà di movimento e occupiamo il tempo come meglio crediamo. Il mio personale isolamento è ancora più assoluto, un isolamento dentro l'isolamento. Come nuovo arrivato alla Sezione, infatti, per certi aspetti sono inevitabilmente un intruso. Questi uomini, che io conosco da poco più di una settimana, hanno fatto insieme la campagna del Nordafrica, e le loro idiosincrasie iniziali, quali che fossero, le hanno da un pezzo accantonate per formare una piccola società chiusa. Quando le cose si mettono male, serrano i ranghi e fanno fronte comune. Per il momento resto un perfetto estraneo.

*11 settembre*

Il Comando della Quinta Armata, e con esso anche noi che ne siamo, volenti o nolenti, i parassiti, si è trasferito ad Albanella, poco a sud del Sele. Il paese è immerso in un'incantevole mescolanza di paesaggi: macchie di meli carichi di frutti colorati, vigne e oliveti popolati da miriadi di luccicanti cavallette blu. A poche centinaia di metri, strada e ferrovia passano il fiume sopra lo stesso ponte, che è stato parzialmente danneggiato. Una squadra di genieri britannici lo sta riparando, e si pensa che prima o poi lo attraverseremo per riprendere l'avanzata. Una ventina di chilometri più a nord, una chiazza grigiastra in un cielo altrimenti incontaminato segnala una guerra della quale non vediamo né sentiamo nulla, e che nella nostra profumata Arcadia sembra remota e irreale.

Con tutto ciò, comincia a farsi strada la spiacevole sensazione che questa calma innaturale non possa durare e che nell'insieme la Quinta Armata non si renda ben conto di cosa sia venuta a fare da queste parti. Ancora non si vedono carri né artiglieria, tranne qualche pezzo della contraerea, e non ci sono segni di opere difensive in allestimento. L'unica attività frenetica nei dintorni è quella delle centinaia di soldati che salgono come formiche dalla spiaggia per portare macchine da scrivere e schedari. Gli uomini non impegnati in questo compito formano qua e là capannelli occasionali; molti hanno la barba lunga. La nostra impressione è che abbiano poca fiducia nei loro comandanti, e spesso ci sentiamo chiedere quando pensiamo che arriveranno Montgomery e l'Ottava Armata. Purtroppo, Montgomery è ancora a più di centocinquanta chilometri. Finora la sola prova tangibile dell'interesse dei tedeschi per la nostra presenza qui sono state le visite sporadiche di cinque Focke-Wulf 190. I caccia hanno provocato molto allarme ma nessun danno, perché il loro obiettivo è la grande flotta alla fonda nella baia.

Nel pomeriggio abbiamo ripreso la nostra esplorazione privata dei dintorni. Siamo circondati da una meravigliosa desolazione. Tutti i cascinali sono abbandonati, gli alberi sono carichi di mele, e le piante con i pomodori maturi presto marciranno. Gli animali si aggirano irrequieti in cerca d'acqua. Due americani, stufi delle loro razioni K – i pacchetti con prosciutto, formaggio, gallette, dolciumi, che a noi sembrano così invitanti –, hanno inseguito una mucca, che prima è fuggita al galoppo, poi ha cominciato a zoppicare, quindi ha vacillato mentre i due le scaricavano addosso le pistole. Alla fine l'hanno abbattuta e ne hanno tranciato un quarto posteriore col quale si sono allontanati. Abbiamo preso possesso di una fattoria disabitata. Sparse dappertutto c'erano le tracce di una partenza precipitosa: indumenti buttati alla rinfusa, letti sfatti, una bambola con le gote rosa sul pavimento. Centinaia di soldati italiani che avevano gettato le armi si trascinavano lungo la linea ferroviaria, diretti alle loro case nel Sud. Quasi tutti avevano i piedi ridotti in condizioni atroci, con il sangue che spesso colava dal cuoio spaccato degli scarponi; erano euforici, e per tutto il giorno ci è arrivata l'eco di risate e canzoni. Ho parlato con uno di loro e gli ho dato qualche pezzo di formaggio recuperato dalle razioni K che, una volta svuotate dei dolciumi, vengono buttate via a migliaia. In cambio, lui mi ha regalato un minuscolo pezzetto di stoffa sgargiante, strappato da una striscia che aveva cavato di tasca. Proveniva dal mantello di una Madonna miracolosa di Pompei, e portandolo addosso sarei stato invulnerabile alle pallottole per almeno un anno. «Non si sa mai, può venirti buono» ha detto, e io ne ho convenuto. Mi sono profuso in ringraziamenti, poi ci siamo separati con una stretta di mano.

Stasera, mentre ci mettevamo in coda per il rancio, alcuni americani della 45ª Divisione ci hanno detto di aver ricevuto dai loro ufficiali l'ordine di non fare prigionieri tedeschi e anzi di finire col calcio del fucile quelli che tentano di arrendersi. Stento a crederlo.

*12 settembre*

Oggi, all'improvviso, la guerra si è scatenata. Eravamo seduti fuori dalla nostra fattoria, a leggere e a prendere il sole, cercando di fare il palato al vinello asprigno di qui, quando abbiamo notato che il rombo distante delle cannonate, che si sentiva fin dal mattino presto, tutt'a un tratto sembrava essersi fatto più vicino. Poco dopo è passata una colonna di carri armati americani diretti verso il campo di battaglia. Sono tornati subito indietro: erano molti di meno, e il modo in cui procedevano – a tutta velocità, zigzagando – dava l'idea del panico. Un carro si è fermato nelle vicinanze, gli uomini dell'equipaggio si sono arrampicati fuori e gettati l'uno nelle braccia dell'altro, in lacrime. Poco dopo si è sentito gridare: «Gas!», e abbiamo visto figure impazzite con addosso le maschere correre in ogni direzione.

Il caos e lo sconcerto si sono diffusi ovunque. Si era sparsa la notizia di uno sfondamento da parte della 16ª Panzer Grenadier, che aveva improvvisamente piegato verso di noi lungo la strada di Battipaglia col chiaro intento di raggiungere il mare a Paestum, spazzar via il Comando della Quinta Armata e tagliare in due la testa di sbarco sulla spiaggia.

Le voci hanno cominciato ad accavallarsi in modo convulso. Secondo la più preoccupante il generale Mark Clark stava pensando di abbandonare la testa di ponte e aveva chiamato la Marina per reimbarcare la Quinta Armata. Nessuno di quelli con cui abbiamo parlato giudicava l'operazione fattibile, poiché si aveva la sensazione che ai primi segni di ritirata i tedeschi sarebbero semplicemente avanzati, ricacciandoci in mare.

Vista la confusione generale e l'assenza di una qualsiasi notizia precisa, il sergente maggiore Dashwood ha deciso che domani quattro uomini della Sezione andranno a Salerno in motocicletta percorrendo uno stretto sentiero che costeggia la spiaggia. La speranza è che nel frattempo il Field Security Officer sia arrivato in città e riesca a emettere l'ordine che ci tiri fuori da questa assurda situazione. La missione potrebbe rivelarsi un'avventura pericolosa per chi vi sarà coinvolto, poiché nessuno sa con certezza nemmeno se i tedeschi abbiano raggiunto il mare in qualche punto fra qui e la città. Di sicuro controllano saldamente la strada principale che corre parallela al sentiero.

Oggi pomeriggio gli artiglieri della contraerea

americana, con i nervi a fior di pelle, hanno abbattuto il loro terzo Spitfire. Appena arrivato dalla Sicilia, il caccia ha decollato all'inseguimento degli FW 190 ed è stato colpito subito, mentre volava a circa cento metri di quota.

*14 settembre*

Siamo in un oliveto, un paio di chilometri a sud di Albanella. La battaglia per la testa di sbarco sulla spiaggia è proseguita per venti ore – tutto il giorno e tutta la notte. Nel corso del pomeriggio il fragore del bombardamento si è intensificato, soffocando i cori gioiosi degli italiani che si trascinavano in file ininterrotte lungo i binari della ferrovia, diretti alle loro case. Al calar della sera il frastuono si è fatto assordante. Alcuni carri armati tedeschi, che scendevano per la lingua di terra fra il Sele e il Calore puntando su Albanella, avevano raggiunto un punto appena fuori dalla nostra visuale, forse a un paio di chilometri dalla stretta trincea che avevamo scavato in fretta e furia, dove i grossi calibri delle molte navi da guerra alla fonda poco lontano da riva li stavano facendo a pezzi. Ogni volta che le navi sparavano una salva da quindici pollici, le nostre divise sbattevano per lo spostamento d'aria. A nord, un alone che pulsava lentamente, diffuso da una sorta di informe spettacolo pirotecnico, aveva invaso un ampio semicerchio di cielo notturno, e di tanto in tanto una violenta esplosione schiudeva, come un roseo anemone di mare, i suoi ondeggianti tentacoli di fuoco. Intorno alle undici, un nervosissimo ufficiale americano è piombato qui su una jeep. Distribuiva carabine leggere: ne abbiamo ricevuta una a testa, con l'avvertimento che la loro mancata riconsegna il giorno successivo sarebbe stata considerata una grave infrazione del codice militare. Con queste armi, e con le nostre Webley 38, ci è stato ordinato di partecipare alla difesa del Comando dall'assalto dei carri Tigre e Mark IV, che ora stavano avanzando verso di noi. Quello che l'ufficiale non ci ha detto era che lui e i suoi colleghi se la stavano tranquillamente svignando, abbandonando i loro uomini.

A questo punto, tra i soldati americani rimasti indietro si è diffuso il panico assoluto. Convinti che la fanteria tedesca si fosse infiltrata nelle nostre posizioni, hanno cominciato a spararsi fra di loro. Le urla degli uomini colpiti dalle pallottole gelavano il sangue.

Ci siamo rannicchiati nella nostra trincea sotto le tremolanti foglie rosate degli ulivi, osservando i tiri farsi più vicini, e a poco a poco la notte è passata. Alle 4 del mattino ci hanno fatto sapere che il Comando andava comunque evacuato, e che non saremmo stati sacrificati. Abbiamo avviato le motociclette, e tenendoci il più vicino possibile al blindato che ci aveva portato le notizie, evitando per miracolo i colpi che i soldati in preda al panico sparavano dai loro ripari su qualsiasi cosa si muovesse, abbiamo raggiunto questo campo, dov'era radunata una folla turbolenta di soldati traumatizzati e col morale a terra – ufficiali separati dai loro uomini, e uomini dai loro ufficiali.

A tempo debito, la storia ufficiale si metterà all'opera per rivestire di dignità nei limiti del possibile questa parte dell'azione di Salerno. Quello che abbiamo visto noi sono state inettitudine e codardia da parte dei comandi, e come risultato il caos. Quello che non capirò mai è che cosa abbia trattenuto i tedeschi dal finirci.

*15 settembre*

Moore, uno dei quattro sergenti inviati a Salerno, è miracolosamente tornato; un viaggio da far rizzare i capelli in testa, quindici chilometri in jeep ai margini di una battaglia che infuriava lungo tutto il percorso. L'FSO è arrivato in città, e abbiamo ricevuto ordine di abbandonare le motociclette e di fare del nostro meglio per raggiungerlo col primo veicolo che avesse affrontato il tragitto e fosse disposto a raccoglierci. Dopo lunghe trattative, Dashwood è riuscito a bloccare una macchina del Comando, ma all'ultimo momento ci è stato detto che non c'era abbastanza spazio per far salire anche noi. Più tardi l'abbiamo vista partire carica di vino. Il cannoneggiamento è continuato per tutto il giorno, ma il frastuono sta diminuendo. C'è ancora parecchia confusione. Molti degli uomini che vediamo aggirarsi qui intorno non sanno dove siano i loro ufficiali, che non hanno più visto da quando è cominciato il contrattacco tedesco.

*17 settembre*

Gli altri membri della Sezione hanno rinunciato a ogni tentativo di raggiungere Salerno, cosicché nulla poteva impedirmi di fare un'escursione nei dintorni. Sono quindi salito con la moto fino a Capaccio, il paese sulla collina che dal giorno dello sbarco vedevamo presiedere, col suo incanto impassibile e remoto, alla roca confusione ai suoi piedi, e che per me rappresentava quanto c'è di più pittoresco nel paesaggio del Meridione italiano.

Da vicino, il suo fascino era anche più penetrante: un luogo di bianche masse in delicata connessione, splendente di luce. Mi sono inoltrato con una certa prudenza per una strada che avrebbe potuto quasi essere inglese, con i giardinetti recintati in legno dove riconoscevo i nostri fiori preferiti, come le zinnie e i piselli odorosi. La pace di questo posto, dopo quattro giorni di finimondo, era stupefacente. Due vecchiette in nero si scambiavano pettegolezzi all'orecchio, e un vecchio con la barba bianca, una specie di Babbo Natale italiano guastato da una bocca increspata in un sorriso ossequioso, vendeva vino seduto a un tavolo accanto al cancelletto del suo giardino. Non ci si poteva sbagliare, in paese tutti erano convinti che i tedeschi se ne fossero andati per non tornare mai più: appena mi ha scorto, infatti, il vecchio ha tirato su un cartello con la scritta «Viva gli Alleati». Mi sono fermato, ho bevuto un bicchiere del suo vino che aveva l'aspetto e il sapore dell'inchiostro, e quando gli ho chiesto se c'erano tedeschi in giro, ha assunto un odioso sorrisetto. Si è alzato e mi ha fatto cenno di seguirlo all'interno della casa, dove un uomo in uniforme era allungato in una profonda poltrona, con la testa reclinata sul petto. È stato il primo tedesco che abbia visto, ed era morto. Parlando in un dialetto del posto per me incomprensibile, il vecchio ha cercato di spiegarmi l'accaduto. Si stava evidentemente assumendo la responsabilità della morte del tedesco, e si aspettava un elogio, se non addirittura una ricompensa. I suoi gesti sembravano voler dire che aveva messo del veleno nel vino del soldato. Non sono riuscito a capire se si trattasse di una messinscena da sicofante oppure no.

L'ho spinto da parte, e sono uscito. Un vecchiaccio disgustoso, ma un indice attendibile, mi son detto, delle prospettive dei tedeschi in questo teatro di guerra.

*18 settembre*

Oggi, in fila per il rancio, abbiamo parlato con un paracadutista del 509° Battaglione americano, ancora pieno di sordo rancore per l'esperienza subita la notte del 14, quando ha preso parte al temerario e insensato lancio di seicento uomini mandati a interrompere le comunicazioni nelle retrovie nemiche. Gli obiettivi, ci ha detto, erano il ponte e la galleria di Avellino, ma alcuni aerei avevano effettuato il lancio anche a una quarantina di chilometri dal bersaglio, mentre da altri i paracadutisti erano finiti sui tetti di alti edifici della stessa Avellino, da dove, non riuscendo a liberarsi in tempo dall'equipaggiamento, erano caduti trovando la morte. Uomini come questo sopravvissuto hanno un atteggiamento di aspra critica verso chi li comanda.

Nel pomeriggio, un'altra prudente escursione di due o tre chilometri lungo la strada di Battipaglia. Poco dopo aver attraversato il ponte sul Sele, ho visto molti di quei carri tedeschi che la notte del 14 ci avrebbero quasi raggiunto se non fossero stati messi fuori causa dal bombardamento navale. Parecchi si trovavano vicino a spaventosi crateri, o al loro interno. In un caso l'equipaggio rimasto intrappolato era andato letteralmente arrosto, tanto che da sotto il carro era colata una pozza di grasso, ora ricoperta da mosche lucenti di ogni specie e colore.

*20 settembre*

Finalmente abbiamo raggiunto Salerno in jeep, ma alla periferia della città ci siamo imbattuti in una battaglia ancora in corso. Le bombe dei mortai tedeschi esplodevano al centro di una piazzetta a solo un centinaio di metri dal Comando della Security. Qui ho assistito a una scena turpe: un ufficiale inglese stava interrogando un civile italiano, e lo colpiva ripetutamente alla testa con una sedia, trattamento che l'italiano, il volto ridotto a una maschera di sangue, sopportava stoicamente. Alla fine dell'interrogatorio, giudicato insoddisfacente, l'ufficiale ha chiamato un soldato degli Hampshires, e in tono affabile, informale gli ha chiesto: «Le spiacerebbe portar via quest'uomo, e farlo fuori?». Per tutta risposta il soldato si è sputato sulle mani, e ha detto: «Niente affatto, signore». L'episodio più rivoltante cui abbia assistito da quando sono sotto le armi.

*21 settembre*

Dopo aver passato tutta la notte pattugliando le strade di Salerno alla ricerca di infiltrati tedeschi, abbiamo avuto un incontro con il capitano Cartwright, che ha il volto coperto di cerotti. Il capitano ci ha detto che, per quanto dovesse ammettere a malincuore che la nostra presenza a Paestum è di assoluta inutilità, ufficialmente la Sezione continua a dipendere dal Comando della Quinta Armata dove è essenziale mantenere una presenza simbolica, e che quindi cinque di noi – tra i quali anch'io – avrebbero dovuto prender su e tornare indietro. Così abbiamo dovuto riprendere la vita contemplativa di Paestum. Qui abbiamo osservato le strane cavallette lucenti e le abitudini degli uccelli, letto un po' di poesia, fatto pratica d'italiano con i soldati in fuga, studiato ancora una volta, nei particolari, i templi, e ogni tanto abbiamo fatto una passeggiata fino in riva al mare per ammirare l'imponente schieramento delle navi, e la loro magnifica e terribile rappresaglia di fuoco contro quei pochi FW 190 che si ostinavano a molestarle con le loro incursioni.

Stasera, per la prima volta da quando siamo sbarcati, ci è stato finalmente concesso di contribuire allo sforzo bellico. Qualcuno, al Comando, aveva riferito che la notte, nel paese di Castello Castelluccio, si vedevano luci intermittenti sospette, e qualcun altro si era ricordato della presenza al campo di uomini dell'Intelligence, così ci è stato detto di avvicinarci furtivamente nel buio, come indiani, e catturare la presunta spia che si riteneva stesse facendo segnalazioni al nemico sulle colline. Abbiamo circondato il paese aspettando che la luce cominciasse il suo lampeggiare, quindi abbiamo fatto irruzione, con l'unico risultato di catturare un uomo armato di torcia diretto verso l'unica latrina all'aperto, usata da tutto il paese.

*28 settembre*

Ricoverato al 16° Evacuation Hospital americano di Paestum con la malaria – forse una ricaduta, ma più probabilmente una nuova infezione. Il dottore mi ha informato che gli acquitrini della zona sono ancora malarici, e le zanzare, che si ritiene abbiano falcidiato la fiorente colonia greca dell'antichità, attive come sempre. La maggior parte dei pazienti ha ferite da combattimento, e da molti di loro ho avuto conferma della storia che avevo trovato davvero incredibile, e cioè che alle unità combattenti americane gli ufficiali hanno dato ordine di colpire a morte i tedeschi che tentino di arrendersi. Questi uomini sembrano molto ingenui e infantili, ma cominciano a mettere in dubbio che un ordine del genere sia morale. Uno di loro, che si è arreso all'equipaggio di un carro tedesco, è stato semplicemente disarmato, poi lasciato andare non potendo essere preso a bordo; di conseguenza, è naturale che faccia propaganda a quello che considera l'alto livello di umanità dei tedeschi in generale. Un altro, più saldamente indottrinato, ha reso nota la sua intenzione di strangolare l'unico ferito tedesco della corsia, un Panzer Grenadier di diciotto anni, non appena avrà la forza di scendere dal letto. Comunque sia, il Panzer Grenadier, che malgrado una brutta ferita è allegro e contento, e sa quel poco d'inglese sufficiente a esibire un inalterato senso dell'umorismo, si sta facendo amici un po' tutti e consolida rapidamente la sua posizione.

Fra gli uomini stipati in questa tenda – saranno almeno duecento – c'è un po' di tutto. Uno di loro, che nella vita civile fa il predicatore laico, ha presieduto a un qualcosa che si avvicinava quanto possibile a un raduno di preghiera revivalista, in un frangente in cui tutti i membri della congregazione giacevano supini, e buona parte di essi con delle sonde che li alimentavano dalle narici o che fuoriuscivano dalle pareti dello stomaco. Una profusione di inni sacri si è levata in competizione con cori osceni, unita a frequenti grida estatiche di «Dio ti benedica, fratello, ti sei salvato?» e «Alleluia!».

Uno spaventoso cannoneggiamento a opera di una batteria di obici da 105 piazzata su un campo a poche centinaia di metri da qui è andato avanti per tutto il giorno e gran parte della notte. Alla fine quasi tutti i pazienti ci si sono abituati, e i boati delle salve notturne hanno smesso di disturbarli. Eppure i nervi hanno una percezione così sottile del pericolo che, benché dormissi della grossa, sono stato immediatamente svegliato dal debole, distante sibilo dei proiettili degli 88 tedeschi, che passavano alti sulle nostre teste diretti alle navi nella baia.

*3 ottobre*

Una bufera di vento quale nessuno si sarebbe aspettata in Italia ha abbattuto la nostra tenda nel cuore della notte. Buio pesto, pioggia battente, il peso soffocante della tela fradicia sulla bocca e sulle narici, da ogni parte grida smorzate. Sotto i letti si è formato un lago, e a poco a poco l'acqua ha raggiunto il bordo inferiore dei materassi. Sono passate parecchie ore prima che ci mettessero in salvo. Tutto il mio equipaggiamento, sistemato sotto il letto, è andato perduto; si sono salvati soltanto la macchina fotografica e i taccuini che tenevo nel cassetto del comodino. Un paziente è stato ucciso dal palo portante della tenda che è crollato di traverso sul letto.

*4 ottobre*

Dimesso dall'ospedale, e provvisoriamente equipaggiato come un soldato americano, con l'elmetto a scodella, i calzoni stretti sui fianchi e gli scarponi con le ghette, mi sono fatto dare un passaggio da un camion americano diretto verso Napoli, che è caduta tre giorni fa e dove pensavo si fosse già insediata la Sezione. A Battipaglia si cambiava, e così ho avuto occasione di studiare da vicino gli effetti del bombardamento a tappeto voluto dal generale Clark. Il Generale è diventato l'angelo sterminatore dell'Italia del Sud, incline al panico, come a Paestum, e poi a reazioni violente e vendicative come quella che ha portato al sacrificio di Altavilla, cancellata dalla faccia della terra perché *forse* nascondeva dei tedeschi. Qui a Battipaglia abbiamo avuto una Guernica italiana, una città trasformata in pochi secondi in un cumulo di macerie. Un vecchio venuto a chiedere la carità ha detto che praticamente nessuno è rimasto in vita, e che i corpi sono ancora sotto le rovine. A giudicare dal fetore, e dalle mosche che sciamavano come un fumo nero dentro e fuori dai buchi nel terreno, la cosa appariva del tutto credibile. Non avevano neppure tentato di ripulire le strade dai resti di quella bella impresa, tanto che, mentre parlavo col vecchio stando vicino al camion, ho sentito qualcosa sotto il piede, mi sono spostato, e guardando in basso mi sono reso conto che quello che a prima vista sembrava un mucchio di stracci era in realtà il cadavere annerito e schiacciato di un soldato tedesco.

Da qui in avanti su un secondo camion, passando per Salerno e poi lungo tutta la base della penisola di Sorrento. È una regione, questa, per la quale le guide turistiche si sprecano in superlativi; la guerra l'ha bruciacchiata e annerita qua e là, ha disseminato il paesaggio verdeoro di relitti di cannoni e carri armati, ma fortunatamente nessun centro abitato era abbastanza grande da giustificare per il Generale un intervento delle sue Fortezze Volanti. Nella maggior parte dei paesi l'unico danno visibile è stato l'immancabile saccheggio dell'ufficio postale a opera delle avanguardie dell'esercito, a quanto pare composte di filatelici dal primo all'ultimo uomo. Ora ci trovavamo nei sobborghi di Napoli, che si presentavano come una serie di sudici paesi semidiroccati dalla guerra: Torre Annunziata, Torre del Greco, Resina e Portici, cresciuti uno vicino all'altro fino a formare una ventina di chilometri di squallido suburbio lungo la costa. Avanzavamo a rilento lungo strade sconquassate, superando le macerie franate dagli edifici bombardati. La gente stava sulla porta di casa, le facce color pomice, e salutava meccanicamente i vincitori; l'apatico saluto fascista della settimana scorsa era stato convertito, oggi, nell'apatico V di vittoria, ma nel complesso lo stato d'animo della popolazione civile sembrava quello di una stordita indifferenza.

Qualche chilometro prima di Napoli città, la strada si allarga in una specie di piazza, dominata da un vasto edificio pubblico semiabbandonato, ricoperto di manifesti e con i vetri delle finestre infranti. Qui si erano fermati molti camion, e anche il nostro conducente si è portato sul bordo della strada e ha tirato il freno. Uno dei camion trasportava approvvigionamenti dell'esercito americano e i soldati, immediatamente raggiunti da molti di quelli che viaggiavano sul nostro camion, gli si affollavano intorno, cercando di arraffare tutto quello su cui riuscivano a mettere le mani. Quindi, reggendo ciascuno una scatola con la razione, si riversavano all'interno del municipio, facendo scricchiolare i vetri di cui era cosparso il pavimento.

Li ho seguiti, ritrovandomi in uno stanzone in cui si accalcava una soldataglia tumultuante. Quelli che stavano in fondo spintonavano per avanzare, incitando sguaiatamente gli altri; ma se si raggiungeva il fronte della folla, l'atmosfera si faceva più calma e assorta. Le signore sedevano in fila, a intervalli di circa un metro l'una dall'altra, con la schiena appoggiata al muro. Vestite con gli abiti di tutti i giorni, queste donne avevano facce comuni, pulite e perbene di massaie, di popolane che vedi in giro a spettegolare o fare la spesa. Di fianco a ognuna era appoggiata una pila di scatolette, ed era evidente subito che aggiungendone un'altra si poteva far l'amore con una qualsiasi di loro, lì, davanti a tutti. Le donne rimanevano assolutamente immobili, in silenzio, e i loro volti erano privi d'espressione, come scolpiti. Potevano star vendendo pesce, non fosse che a quel luogo mancava l'animazione di un mercato del pesce. Non un incoraggiamento, non un ammicco, niente di provocante, neppure la più discreta e casuale esibizione di nudità. I più animosi, con le scatolette in mano, si erano fatti avanti fino alla prima fila, ma ora, di fronte a quelle madri di famiglia, donne coi piedi per terra spinte fin lì dalle dispense vuote, sembravano esitare. Ancora una volta, la realtà aveva tradito il sogno, e l'atmosfera si stava facendo greve. Qualche risolino imbarazzato, qualche battuta caduta nel vuoto, e la visibile tentazione di ritirarsi in buon ordine. Alla fine un soldato un po' alticcio, istigato di continuo dagli amici, ha deposto la sua scatola con la razione vicino a una donna, si è sbottonato e si è chinato su di lei. Un movimento meccanico delle anche, ed è subito finito tutto. Un attimo dopo il soldato era di nuovo in piedi e si riabbottonava. Era stata una faccenda da sbrigare nel più breve tempo possibile. Si sarebbe detto che il soldato, più che fare l'amore, si fosse sottoposto a una punizione da campo.

Cinque minuti dopo avevamo ripreso il viaggio. I miei compagni hanno gettato tutte le loro scatolette ai passanti, che ci si sono avventati sopra come forsennati. Nessuno dei soldati che viaggiavano con me ha avuto la tentazione di prendere parte attiva al divertimento.

*6 ottobre*

Napoli odora di legno bruciato. Ovunque macerie – che in alcuni casi ostruiscono completamente le strade –, crateri di bombe e tram abbandonati. Il problema principale è l'acqua. Le due spaventose incursioni aeree del 4 agosto e del 6 settembre hanno distrutto tutte le condutture, e già dopo la prima è venuto a mancare il necessario approvvigionamento idrico. Per completare l'opera di distruzione degli Alleati, le squadre di guastatori tedeschi sono andate in giro a far saltare in aria tutto quanto di utile alla città ancora funzionasse. La grande sete collettiva di questi ultimi giorni è stata tale che, ci hanno detto, la gente ha provato a cucinare con l'acqua di mare, e sulla riva si sono viste famiglie intere accovacciate intorno a strani marchingegni, coi quali speravano di riuscire a distillare l'acqua salata per poterla bere.

La Sezione è caduta in piedi. Appena arrivato ho scoperto che ci hanno installato nel Palazzo dei principi di Satriano in piazza Vittoria, alla fine della Riviera di Chiaia, lo straordinario lungomare di Napoli. Il palazzo, a quattro piani, è una versione napoletana del barocco spagnolo. Noi ne occupiamo il piano nobile, in cima a uno scalone di marmo, con i suoi alti soffitti modanati, i candelabri scintillanti, gli enormi specchi a muro, e un opulento mobilio dorato in stile vagamente Impero. Ci sono otto stanze sontuose, ma neppure un bagno, e il gabinetto è dentro un armadio a muro in cucina. Dalle finestre sulla piazza si vedono gruppi di palme, molte statue e la baia di Napoli. L'FSO ci ha sistemato davvero bene.

A prima vista Napoli, col tipo di lavoro che probabilmente ci riserva, sembra poco attraente, in confronto al Nordafrica. I giorni delle scorribande sulle montagne della Cabilia per incontrare i caid ribelli e i santoni che controllano le tribù, e delle discussioni segrete nel roseto dei Giardini di Palazzo a Tunisi, sono finiti per sempre. La vita qui, in confronto, promette di essere faticosa, a volte prosaica, e oppressa dalla routine. Tutt'intorno a Napoli ci sono decine di unità militari intenzionate a impiegare civili italiani, e ci toccherà controllarli uno per uno in quanto rappresentano un rischio per la sicurezza. Nulla di più facile. Lo Stato di polizia fascista sorvegliava da vicino le attività di tutti i suoi cittadini, e noi ne abbiamo ereditato i vasti archivi all'ultimo piano della Questura. Nel novantanove per cento dei casi contengono informazioni sorprendentemente insignificanti, che nell'insieme rivelano come quasi tutti gli italiani siano assolutamente neutrali in fatto di politica, mentre hanno un debole per le avventure a sfondo sessuale. Insomma, si tratta di interminabili resoconti di vite futili. Un po' più di applicazione e di sforzo richiederanno le indagini su quelle poche centinaia di persone rimaste in città che hanno avuto un ruolo attivo durante il fascismo, e che – questo dipenderà in larga parte dai nostri rapporti – si potrebbe ritenere necessario internare.

Si deve avviare una schedatura dei sospetti, e il compito è toccato a me. Altri membri della Sezione hanno già ripulito il consolato tedesco a Napoli, riempiendo un'intera macchina di documenti, ciascuno dei quali va studiato. La mole di lavoro è aumentata da quando ha cominciato ad affluire un diluvio di denunce. Vengono consegnate di persona, o addirittura ficcate in mano alla sentinella che sta all'entrata, da gente che nutre risentimenti di ogni tipo. Alcune sono bizzarre, come quella che si riferisce a un prete accusato di aver organizzato una proiezione di film pornografici per il comandante della guarnigione tedesca. Tutto – dal più sudicio foglietto su cui è stato scarabocchiato un nome e, sotto, una sola parola: «assassino», fino al documento scrupolosamente dattiloscritto, col sigillo e le firme del Comitato di Liberazione – deve essere analizzato e archiviato. Il lavoro che questo comporta è immenso, noiosissimo, e fortemente complicato dalla grande diffusione, a Napoli, di alcuni cognomi – gli Esposito e i Gennaro saltano fuori a centinaia – come pure dal fatto che i dati forniti dalle nostre autorità per essere riportati nel Libro Nero ufficiale sono spesso vaghi. È abbastanza frequente che dei sospetti non ci venga comunicato neppure il nome, e che per identificarli ci si debba basare su descrizioni quali «altezza media», «età fra i trenta e i quaranta», «di singolare bruttezza», o addirittura «noto per il suo ossessivo terrore dei gatti». Nonostante tutto, il lavoro procede: la schedatura si estende e il Libro Nero, con la sua vaghezza e le sue scemenze a volte quasi poetiche, comincia a prender corpo.

Dopo qualche giorno di ambientamento, tre membri della Sezione sono stati distaccati a Sorrento e nelle città della costa, mentre Eric Williams, che di tutti noi è quello che parla meglio l'italiano, è stato mandato in solitario esilio nell'importante città di Nola. Altri tre, oltre all'FSO, sono stati inchiodati a mansioni amministrative al Comando, e così a far fronte ai problemi della sicurezza in questo formicaio umano che è Napoli siamo rimasti solo in quattro – Parkinson, Evans, Durham, e io.

La prima impressione dei miei colleghi sul lavoro è favorevole. In molti casi non sapere l'italiano crea loro difficoltà, ma sono tipi in gamba, e si sono messi sotto con entusiasmo per imparare la lingua. Come ogni sezione, anche la nostra ha sviluppato una sua personalità. È meno informale di quasi tutte le altre, e un po' burocratica. Non riesco a immaginare un membro della 312ª Field Security Section presentarsi con uno stratagemma a un campo d'aviazione, sventolare il suo lasciapassare, e lavorarsi un ufficiale, americano o inglese, fino a fargli organizzare sui due piedi un volo fuori programma per l'Inghilterra – impresa riuscita ad altre sezioni. A tutti i miei nuovi amici sono stati consegnati, in sostituzione del normale libretto 64, speciali documenti d'identità del tipo in dotazione agli ufficiali, ma naturalmente il capitano Cartwright non ha voluto che recassero a tergo, come quelli rilasciati alla 91ª FSS (ne ho ancora uno con me), l'autorizzazione a trovarsi ovunque, in qualsiasi momento, e senza l'obbligo della divisa. Per ora i membri della Sezione non si mettono neppure in borghese. I libretti 466 (non sono ammesse né cancellature, né pagine strappate) vengono redatti con cura, e le annotazioni del giorno prima, riassunte in forma di diario, si consegnano ogni mattina come prima cosa all'FSO e vengono discusse all'adunata delle nove, durante la quale ci si attiene scrupolosamente ad alcune formalità del reggimento. Tutte cose, almeno per me, assolutamente nuove.

*8 ottobre*

Il contatto con le unità militari porta con sé inevitabili conseguenze. Il telefono comincia a suonare la mattina presto, e smette solo di rado. In genere all'altro capo c'è un ufficiale che riferisce in tono concitato della presenza, nella sua zona, di un agente nemico, o di una trasmittente segreta, o del presunto nascondiglio di un bottino abbandonato dai tedeschi. Tutte queste informazioni provengono dai civili del posto, che si riversano al più vicino comando militare ansiosi di sgravarsi di ogni genere di segreti; tuttavia, poiché non è stato distribuito nemmeno un manualetto di conversazione per venirci in aiuto con la lingua, i malintesi sono frequenti. Oggi, essendo l'unico membro della Sezione rimasto in ufficio, per dar seguito a una richiesta urgentissima sono stato spedito in fretta e furia in moto ad Afragola, dove un maggiore di fanteria si era convinto, in base a notizie raccolte sul posto, che una donna del paese fosse una spia. In questo caso, le testimonianze, rese principalmente a gesti, erano state interpretate erroneamente dal maggiore. Gli abitanti del paese, si è poi capito, avevano cercato di spiegare che la donna era una strega, e che se le si fosse dato modo di gettare il malocchio sulla riserva d'acqua dell'unità l'avrebbe resa imbevibile.

Mentre cercavo di chiarire l'equivoco ho assistito a uno spettacolo impressionante. Centinaia, forse migliaia di italiani, in gran parte donne e bambini, spinti dalla fame, erano sparsi nei campi ai lati della strada alla ricerca di erbe commestibili. Mi sono fermato a parlare con alcuni di essi, che mi hanno detto di aver lasciato le loro case di Napoli all'alba, e di aver camminato due o tre ore per raggiungere il posto dove li avevo incontrati, a una dozzina di chilometri dalla città. Qui un bel po' di erbe si trovano ancora, mentre più vicino a Napoli i campi sono stati spogliati di tutto quello di cui ci si poteva cibare. Esistono all'incirca quindici diverse varietà di erbe che vale la pena di raccogliere, e la maggior parte ha un sapore amaro. Nei loro mazzi ho riconosciuto soltanto i denti di leone. Ho visto altri gruppetti che cacciavano uccelli con le reti, ed erano riusciti a catturare qualche passero e alcuni altri uccellini, che in questo periodo dell'anno, mi hanno detto, arrivano numerosi, attirati dai frutti sugli alberi. Mi hanno anche raccontato che devono vedersela con l'ostilità della gente del posto, nei cui terreni sconfinano, che li accusa di depredare vigne e orti.

*9 ottobre*

Oggi pomeriggio, un'altra passeggiata sul lungomare di Santa Lucia mi ha dato modo di assistere a una scena analoga di disperata caccia al cibo. Tra i massi addossati al molo trafficava una moltitudine di bambini. Mi è stato spiegato che stavano staccando le patelle, giacché da un pezzo non si trova più né una chiocciola di mare né un paguro. Mezzo chilo di patelle viene venduto ai bordi della strada a circa due lire, e se lo si fa bollire abbastanza a lungo c'è la speranza di dare a un brodo ricavato da qualsiasi rimasuglio commestibile un vago sapore di pesce. Inspiegabilmente, nessuna imbarcazione è ancora autorizzata a uscire a pesca. Nulla, assolutamente nulla di ciò che l'apparato digerente umano è in grado di assimilare va sprecato, a Napoli. Le macellerie che qui e là hanno riaperto non vendono niente che noi considereremmo accettabile come carne, ma scarti e frattaglie vengono esposti in bella mostra, e maneggiati religiosamente: le teste di pollo – cui è stato troncato di netto il becco – costano cinque lire; un mucchietto grigio di intestini di pollo, pòrto in un piattino lucidato a specchio, cinque lire; un ventriglio, tre lire; le zampe di vitello, due lire l'una; un grosso pezzo di trachea, sette lire. Si formano piccole code di gente in attesa di acquistare queste prelibatezze. Corre voce insistente che la popolazione felina della città sia in calo.

*10 ottobre*

Una vera fortuna per tutti che Napoli sia stata liberata proprio adesso – con la raccolta della frutta ancora da cominciare –, e che il tempo splendido di questo inizio d'autunno renda ogni genere di disagio più sopportabile. Una giornata di sole dopo l'altra, ma senza più la calura estiva. Da dove sto seduto, passando faticosamente al setaccio montagne di diffamazioni e di calunnie, posso distrarmi guardando giù nel vicolo che corre lungo un lato del palazzo. Il vicolo è gremito fino a scoppiare di famiglie proletarie abituate a vivere quanto più possono all'aperto, ragion per cui la strada è chiassosa come un'uccelliera tropicale.

Stamattina sul presto, una famiglia che abita nella casa di fronte ha portato fuori un tavolo e lo ha sistemato in strada, vicino alla sua porta. In un attimo è stato ricoperto con una tovaglia verde con la frangia. Tutt'intorno sono state disposte delle sedie, alla stessa distanza l'una dall'altra, e sul piano hanno trovato posto diverse foto incorniciate, un vaso di fiori finti, una gabbietta con un cardellino e alcuni bicchierini decorati che di tanto in tanto, nel corso della giornata, venivano strofinati per rimuovere la polvere. Intorno al tavolo, la famiglia – una madre, i nonni, una ragazza sui diciotto anni e due bambini irrequieti che andavano e venivano in continuazione – viveva in quella che era, di fatto, una stanza senza pareti. La madre si è occupata dei capelli della ragazza, ha lavato la faccia ai maschi, a mezzogiorno ha servito qualcosa da una pentola fumante, e nel pomeriggio ha cucito e fatto il bucato per tutta la famiglia. Lungo il vicolo c'erano molti altri tavoli come questo, e i vicini si scambiavano visite, dando luogo a un'incessante migrazione sociale. La scena era di grande serenità. Le stuoie verdi delle finestre e dei balconi ai piani superiori respiravano dolcemente nella mite brezza marina. La gente si chiamava da grande distanza, quasi cantando. Un mendicante con le gambe esili e ritorte è stato portato fuori dai suoi amici e sistemato in posizione comoda contro il muro, dove ha cominciato a pizzicare un mandolino. Due soldati americani, smilzi e ancheggianti, hanno percorso il vicolo passandosi una bottiglia di vino, e la ragazza seduta al tavolo ha alzato gli occhi seguendoli con lo sguardo fino a quando non hanno svoltato l'angolo e sono spariti.

Nel palazzo non ci sono scritte che dicano chi siamo e cosa facciamo qui, ed è quindi difficile capire perché mai la gente presuma che questo debba essere il Comando della polizia segreta inglese. Fatto sta che lo sanno, e cominciamo a essere sommersi da un flusso ininterrotto di visitatori, ciascuno dei quali ci offre i propri servigi come informatore. La questione del compenso non viene mai sollevata. I nostri visitatori sono disposti a lavorare per noi per pura e disinteressata devozione alla causa alleata. Sono quasi tutti liberi professionisti, e ci consegnano biglietti da visita con stampato a belle lettere il titolo di Avvocato, Dottore, Ingegnere o Professore. Tutti hanno modi dignitosissimi, alcuni addirittura solenni, e parlano con voce bassa da cospiratori. È venuto anche un prete, che ci ha consegnato una manciata di denunce e ci ha chiesto l'autorizzazione a portare una pistola. Sono questi i personaggi, spesso squallidi e ambigui, su cui dobbiamo fare affidamento. Prima li si chiamava col loro vero nome, adesso sono ufficialmente «informatori», e sta prendendo piede una tendenza eufemistica a trasformarli in «contatti». Sono una genia a sé, la linfa vitale dei servizi segreti, e ovunque nel mondo hanno una cosa straordinaria in comune: la strana e assoluta fedeltà a un solo padrone. Un informatore è come un anatroccolo appena uscito dal guscio e bisognoso di protezione. Si può essere certi che si legherà una volta per tutte alla prima persona disposta ad ascoltare con benevolenza quanto ha da dire, e preferisce non passare mai al servizio di qualcun altro. Già in questi primi giorni ciascuno di noi si è procurato più o meno una mezza dozzina di «contatti».

Come prassi, tutti i nomi vengono controllati nei nostri schedari, che si stanno rapidamente espandendo, e scopriamo con divertimento che molti di coloro che si sono fatti avanti per mettersi a nostra completa disposizione sono stati accusati dai loro concittadini di essere attivi collaborazionisti. Negli uffici del consolato tedesco abbiamo raccolto copie di molte lettere servili e di congratulazioni scritte da notabili napoletani ad Adolf Hitler in persona. Uno degli esempi più notevoli è quello di un consigliere di Corte d'appello di Napoli che è appena venuto da noi per offrirci i suoi servigi. Con la sua lettera egli assicura al Führer la sua «grande ammirazione e simpatia per i soldati del Vostro paese», e conclude «Con profonda, devota osservanza».

Quello che più ci colpisce è la correttezza burocratica tutta tedesca con cui ognuna di queste missive, molte delle quali parecchio strampalate, è stata scrupolosamente registrata, tradotta, e infine inoltrata alla Cancelleria del Partito nazista a Berlino, che ha poi fatto pervenire le sue ripugnanti risposte attraverso l'Ambasciata tedesca a Roma. Il pensiero del lavoro a tavolino necessario per rispondere alle migliaia di lettere come queste, spedite dai leccapiedi dell'Europa occupata, fa venire il capogiro.

Stanno arrivando reclami per i saccheggi compiuti dalle truppe alleate. In questa guerra, gli ufficiali si sono dimostrati molto più abili della truppa in faccende del genere. Gli ufficiali dei Dragoni della Guardia, cui è toccato l'onore di essere la prima unità britannica a fare il suo ingresso a Napoli, sono stati accusati di aver tagliato le tele dalle cornici nel Palazzo della principessa, e di essersi portati via una raccolta di porcellane di Capodimonte. L'oss ha ripulito la sontuosa dimora di Achille Lauro. Si dice che alcuni dei pezzi più voluminosi siano stati imballati dentro casse per essere spediti in Inghilterra con la connivenza della Marina.

*13 ottobre*

Per una settimana la nostra attività è stata ostacolata, addirittura vanificata, da falsi allarmi e apprensioni di ogni genere immaginabile. Basta che le occupazioni di qualcuno si discostino in un modo qualsiasi dai criteri napoletani di normalità perché lo si consideri subito una spia, così siamo stati trascinati in infiniti giri a vuoto. Nessuna di queste scorribande notturne ha prodotto risultati. Le presunte spie erano immancabilmente innocui eccentrici. Il misterioso straniero che nell'appartamento accanto armeggiava con una potente radio non era un agente nemico alla prese con una trasmittente, ma un tale che cercava di captare la BBC. In case che si diceva ospitassero nascondigli di armi non abbiamo trovato nulla di più letale del vaso da notte dei bambini ancora pieno, mentre le luci intermittenti nel buio venivano sempre da persone dirette al pozzo nero in fondo al giardino.

Ora che la posta ha ripreso a funzionare normalmente, un'orda di censori si affanna ad aprire lettere alla ricerca di un significato nascosto nelle banalità della corrispondenza familiare o d'affari, e se hanno qualche dubbio ricorrono a noi. Purtroppo stanno anche controllando molte conversazioni telefoniche, e le «intercettazioni» dattiloscritte che ci arrivano contengono la loro buona dose di assurdità. L'esempio più eloquente tra quelle ricevute finora aveva un titolo solenne: «Uso illegale di telescopio». Il riferimento era al passaggio di una conversazione tra due amanti, nel quale la ragazza aveva detto: «Oggi non ti posso vedere perché mio marito rimane a casa, ma ti contemplerò come sempre, col telescopio dell'amore». Il 3° Distretto rincara la dose bombardandoci di nuovi dati per il Libro Nero, che serve da pattumiera per la paranoia di chicchessia. In un caso abbiamo dovuto prender nota di un individuo sospetto del quale non si sapeva nulla, tranne che aveva tre capezzoli sul seno sinistro, mentre di un altro si diceva avesse «la tipica faccia dell'ipocrita».

Tutto questo incoraggia a non dare troppo credito alle segnalazioni, tanto che ai rapporti degli ultimi giorni a proposito di certi misteriosi colpi provenienti dalle viscere della terra non avevamo dato alcun peso. Ma quando ieri la Polizia italiana – scettica quanto noi – ci ha telefonato per parlare di quei colpi, aggiungendo che li aveva sentiti anche un poliziotto anziano, abbiamo dovuto prenderne nota. Erano stati segnalati in diverse zone, molto distanti fra loro, nella parte settentrionale della città. La teoria della Polizia, suffragata da molte voci e da qualche testimonianza attendibile, era che un reparto scelto di ss fosse rimasto volontariamente indietro dopo la ritirata tedesca da Napoli, nascondendosi nelle catacombe, da dove in qualsiasi momento avrebbe potuto compiere una sortita a sorpresa. Se i fatti erano andati così, c'era dunque la probabilità che qualcosa non avesse funzionato per il verso giusto, e che il reparto si fosse smarrito nelle tenebre di un labirinto immenso e solo parzialmente descritto dalle carte. In questo caso, i colpi si potevano spiegare come un tentativo di invocare soccorso.

Solo una piccola parte delle catacombe – le più estese d'Italia, e forse del mondo – è accessibile ai visitatori, e la Polizia ha avuto qualche difficoltà a procurarsi una vecchia mappa che ne riportasse l'intero sviluppo. Non c'era modo di capire fino a che punto, dopo i danni delle scosse telluriche del passato, e il conseguente, inevitabile sprofondamento del suolo, la mappa fosse ancora fedele. In ogni caso, la si è studiata in rapporto all'ubicazione dei luoghi dove si erano sentiti i colpi, e poiché era convinzione generale che i tedeschi fossero davvero da qualche parte là sotto, è stata radunata una forza di circa cinquanta uomini – della quale facevano parte, oltre a noi, la Polizia italiana e il controspionaggio americano – per scendere in esplorazione.

Alla più importante delle due serie di gallerie che corrono sotto Napoli, e cioè a quella che ci interessava, si accede dal retro della chiesa di San Gennaro. Le catacombe, che si pensa risalgano al primo secolo, sono costituite da quattro gallerie scavate una sotto l'altra, ciascuna delle quali ha numerose ramificazioni e passaggi laterali. Le due gallerie inferiori hanno parzialmente ceduto e sono inaccessibili dall'antichità.

Abbiamo deciso di scendere nelle catacombe poco dopo l'alba e siamo arrivati alla chiesa su una decina di jeep, magnificamente equipaggiati di un'attrezzatura da speleologi, oltre che dell'armamento d'ordinanza. I monaci guardiani erano già in piedi, e si aggiravano mostrandoci la più assoluta ostilità. Uno di loro, che si era piantato con le braccia aperte davanti all'ingresso delle catacombe, ha dovuto essere allontanato con la forza, e quando siamo entrati ci ha seguito accusandoci con voce tonante di profanare un luogo sacro.

Gli americani si erano portati dietro delle torce che sembravano riflettori in miniatura. Mentre attraversavamo il vestibolo per raggiungere le gallerie, le torce illuminavano le pareti rivelandole così fittamente ricoperte di affreschi - la maggior parte ancora in perfette condizioni dopo sedici secoli - da sembrare colossali icone. Lo scopo per il quale le catacombe furono concepite era lì, sotto i nostri occhi. Nelle pareti erano state scavate, una sopra l'altra, file di nicchie che formavano camere mortuarie ed erano stipate di scheletri, molti dei quali si dice appartengano a vittime della peste del sedicesimo secolo. Quando uno di noi ha preso in mano un teschio per esaminarlo, il monaco che ci stava alle calcagna, furente, gli ha ruggito di rimetterlo giù. Interrogato circa la possibilità che ci fossero tedeschi nelle catacombe, l'uomo ha risposto in modo evasivo e sospetto.

Presto ci siamo resi conto che era come cercare un ago in un pagliaio. Le gallerie erano stretti cunicoli stipati di ossa, con innumerevoli deviazioni da esplorare, e per ognuna di esse molte camere buie dove le nostre prede, ammesso che fossero ancora in vita, avrebbero potuto nascondersi o da dove avrebbero potuto saltar fuori all'improvviso per tenderci un'imboscata. Se quegli uomini erano entrati nelle catacombe - e continuavamo a credere che lo avessero fatto - dovevano essere nelle tenebre da quasi quindici giorni, da quando cioè le batterie delle loro torce si erano definitivamente scaricate. Da quel momento, procedendo a tentoni, o strisciando in mezzo alle ossa, erano senz'altro andati incontro ad avventure terrificanti. Già nella seconda galleria ci siamo trovati all'improvviso di fronte a un baratro buio. Nelle sue profondità, dove l'intero corridoio era crollato da parete a parete, abbiamo visto alla luce delle torce un cumulo di polvere dal quale spuntavano alcune costole vecchie di secoli. Calato un microfono nel pozzo siamo rimasti in ascolto, mentre il monaco borbottava alle nostre spalle, ma il silenzio, là sotto, era assoluto.

Ci siamo arresi, e siamo tornati indietro. Gli ultimi colpi risalivano a due giorni fa, e ci sembrava strano che, per quanto quegli uomini fossero sul punto di morire di fame, le loro forze avessero ceduto così all'improvviso da non lasciarci più arrivare neppure un gemito o un lamento. Eravamo tutti convinti che il monaco ne sapesse più di quanto fosse disposto a dire. Secondo il commissario di Polizia non si può escludere che sia sceso nelle catacombe e abbia salvato i tedeschi. Che cosa sia veramente successo probabilmente non lo sapremo mai.

*15 ottobre*

Il mio migliore acquisto, fra i contatti civili di questi primi giorni, è Vincente Lattarullo, un uomo che conosce a fondo usi e costumi di Napoli.

La prima volta che gli è stato chiesto perché mai si fosse rivolto a noi, ha risposto asciutto, in un sussurro: «Sono spinto dalla passione per la giustizia», e dicendo questo è parso vacillare. In seguito si è capito che questo signore distinto, dall'aspetto fragile, che a volte si fermava nel mezzo di una frase e barcollava leggermente, come sul punto di svenire, voleva denunciare l'operato di un ufficiale americano addetto alle requisizioni, che se ne va in giro offrendo per cento lire agli italiani in possesso di un'auto la garanzia che non verrà confiscata. Gli abbiamo detto che non potevamo farci assolutamente nulla.

L'ho portato qui sotto, al Bar Vittoria, a prendere un marsala all'uovo, ma quando il barista ha portato l'uovo da rompere nel bicchiere ho visto lo sgomento sul volto di Lattarullo e ho bloccato il barista a metà del suo gesto. Profondendosi in scuse, Lattarullo ha chiesto il permesso di portarsi l'uovo a casa. Qualche attimo dopo, l'impatto dell'alcol nello stomaco vuoto lo ha fatto di nuovo barcollare, e mi sono reso conto che era affamato. Purtroppo non c'era assolutamente nulla da mangiare a portata di mano, tranne le preziose e costosissime uova, razionate in misura di una al giorno per i clienti di riguardo. Lattarullo si è tuttavia lasciato convincere ad accettare anche il mio uovo, che ha rotto in una tazza inghiottendolo poi molto lentamente.

Lattarullo è risultato essere uno dei quattromila avvocati di Napoli, il novanta per cento dei quali – in eccedenza rispetto al fabbisogno dei tribunali – non ha mai praticato, e vive per la maggior parte in stato di estrema indigenza. Si calcola che in condizioni analoghe versino almeno altrettanti medici; questi professionisti ridotti alla fame sono il risultato della volontà di ogni famiglia borghese napoletana di avere un figlio laureato, anche se la laurea è inutile. I genitori sono disposti a togliersi il pane di bocca purché il figlio acquisisca il diritto di venire rispettosamente chiamato avvocato, o dottore.

Lattarullo è riuscito a sopravvivere grazie a un lascito che in origine equivaleva a circa una sterlina alla settimana, ma che ora, con la svalutazione, si è ridotto a circa cinque scellini, e per farlo ha messo a punto un sistema scientifico di autodisciplina. Passa gran parte della giornata a letto, e quando si alza percorre brevi distanze lungo un itinerario prestabilito, fermandosi ogni due o trecento metri in una chiesa, a riposare. Solo la sera consuma un pasto, che in genere consiste in un pezzetto di pane intinto nell'olio d'oliva, sul quale strofina un pomodoro. Ogni tanto fa visita a un altro professionista che vive nelle sue stesse condizioni, scambiano due chiacchiere, sorseggiano una tazzina di caffè fatto di ghiande tostate e digiunano in compagnia per un'oretta. Dà l'impressione di essere al corrente di tutto ciò che accade a Napoli. L'ho accompagnato a casa e ho scoperto che vive in due stanze il cui arredamento è composto di tre sedie, un letto, un tavolo zoppicante e una pianta di aspidistra rinsecchita. Acqua e luce, mi dice, sono state tagliate da anni.

È venuto fuori che Lattarullo ha una seconda professione, che ogni tanto gli procura un insperato incremento delle entrate. Nell'attuale emergenza ha però dovuto rinunciare a esercitarla. Con una punta di orgoglio, mi ha rivelato che in occasione di funerali impersona lo «zio di Roma». Nei funerali napoletani c'è l'ossessione delle apparenze. Uno magari è stato un poveraccio per tutta la vita, ma ha comunque la certezza di essere portato via in una splendida bara; a parte questo, non si trascura il minimo tocco che possa onorare il defunto e accrescere il prestigio della sua famiglia.

In questa piccola farsa, lo zio di Roma è un personaggio popolare. Perché la gente insiste con Roma? Perché non Bari, o Taranto? No, dev'essere di Roma. Lo zio lascia intendere di essere appena arrivato con l'espresso dalla capitale, oppure si presenta davanti al basso, nel vicolo, su un'Alfa Romeo – con la targa di Roma e una placca SPQR – dalla quale scende nel suo abito da mattino di buon taglio, con il nastrino di Commendatore del Regno sul risvolto della giacca; e porgendo condoglianze asciutte e dignitose attenua la teatralità del lutto napoletano.

Lattarullo dice di aver interpretato spesso questa parte. Le sue credenziali sono l'aria patrizia, e la sua capacità di assumere un accento e un modo di fare romani. A differenza di quanti lo circondano, non usa mai il pronome «lui», ma dice «egli», come nei libri di testo, e dà a tutti, con una cortesia d'altri tempi, del «lei». Mentre i napoletani tendono a fraternizzare e ad accattivarsi la tua simpatia, Lattarullo ostenta un distacco e un riserbo tipicamente romani. Quando gli presentano qualcuno, non va oltre un buongiorno, e si allontana con un secco cenno di commiato. I napoletani, che nei loro saluti sono cerimoniosi e stucchevoli, dicono che è così che si comporta un vero signore romano. Se per caso qualcuno dei presenti alla veglia ricorda di avere notato Lattarullo per le strade di Napoli in altra occasione, sta bene attento a tenerselo per sé.

*20 ottobre*

Oggi, mentre percorrevo in moto via Partenope, l'ho scampata per un pelo. Stavo andando in direzione di Castel Nuovo, attraverso un'area pesantemente danneggiata dai bombardamenti, con il mare sulla destra e sulla sinistra gli edifici semidistrutti, quando ho notato davanti a me un improvviso cambiamento: al cielo azzurro, alle luci e alle ombre si era sostituito un grande biancore opaco, che nascondeva la vista del porto. L'effetto era di un intero quartiere inghiottito da una nube di fumo bianco come quello che a volte fuoriesce dalle ciminiere delle fabbriche di calce. Dopo una curva mi si è presentata una scena apocalittica. Molti palazzi, tra cui una banca, erano stati polverizzati da una spaventosa esplosione avvenuta, evidentemente, solo pochi attimi prima. La strada era cosparsa di corpi e qua e là, in mezzo a essi, i vivi stavano immobili come statue, ricoperti da uno strato di polvere bianca. Se la scena mi si è scolpita nella mente e ha toccato la mia immaginazione è stato perché nulla si muoveva, e il silenzio era assoluto. La polvere cadeva dal cielo come la più impalpabile delle nevicate. Una donna, in piedi vicino a un carro con un tiro di muli, sembrava la moglie di Lot trasformata in sale. Uno dei due muli era coricato per terra, e pareva morto, mentre l'altro se ne stava immobile al suo fianco, senza nemmeno scrollare un orecchio. Poco lontano, due uomini giacevano nella stessa posizione dei corpi sepolti dalla cenere a Pompei, mentre un terzo, che probabilmente qualche attimo prima era in loro compagnia, stava in piedi, vacillando appena, con gli occhi chiusi. Ho provato a parlargli, ma non mi ha risposto. Non c'era traccia di sangue da nessuna parte.

Si è trattato di una delle tante esplosioni provocate da ordigni a scoppio ritardato che i tedeschi avevano costruito poco prima di andarsene, mettendo insieme parecchie centinaia di mine e seppellendole sotto gli edifici più importanti. Mentre io stavo risalendo in moto via Partenope, il mio amico White, che andava alla Posta centrale, per poco non è rimasto coinvolto nel disastro. Doveva discutere la riorganizzazione dei servizi postali e – sospetto – dei metodi di censura. Era uscito da dieci minuti quando il palazzo è saltato in aria, uccidendo dio sa quanti passanti. Un massacro senza senso, compiuto ai danni della popolazione civile italiana.

Adesso viene fuori che, parecchi giorni prima che i tedeschi abbandonassero Napoli, il colonnello Scholl – comandante in capo della guarnigione, uno che dicono non riuscisse ad accettare gli italiani come Ariani, neppure onorari – aveva ordinato che una fascia di trecento metri a partire dal lungomare verso l'interno fosse evacuata dalla popolazione civile. Allora agli italiani era stato fatto credere che fosse imminente un bombardamento navale sulla città, seguito da uno sbarco degli Alleati. Ora si suppone che il vero scopo sia stato di sgombrare la zona per poterla minare in segreto, e che molti palazzi sul lungomare siano stati effettivamente minati, e possano esplodere da un momento all'altro.

La nostra preoccupazione più immediata è che anche il nostro palazzo rientri nel numero, e questo deprimente sospetto è divenuto una probabilità quando il portiere ci ha detto di aver trovato, di ritorno da un'assenza forzata di quattro giorni presso parenti che abitano vicino a Porta Capuana, alcuni pezzi di cavo sparsi per il cortile. I genieri, che sono alle prese, senza gran successo, con questa situazione, saranno qui appena possibile, ma il loro capitano, con cui l'FSO si è messo in contatto, è pessimista. Le fondazioni di un palazzo antico come il nostro, dice, sono probabilmente crivellate di fognature, scantinati e pozzi in disuso. Se anche ci fossero mine, le probabilità di scoprirle sarebbero una su dieci. Il suo consiglio è di sgombrare il palazzo per qualche giorno, e aspettare che gli altri edifici smettano di esplodere.

Stasera, dopo una giornata già tanto carica di tensione, il primo bombardamento aereo tedesco ha gettato la città in una sofferenza ancora più atroce. Molte bombe sono cadute nella zona del porto, e l'esplosione più vicina ha fatto tremare orrendamente il nostro vecchio palazzo. Appena suonato il cessato allarme sono uscito per verificare i danni, e ho trovato quasi intatto il porto vero e proprio, ma la devastazione nei vicoli alle sue spalle. Scene apocalittiche di gente che scavava con le mani fra le macerie, alcuni ululando come cani nel disperato tentativo di soccorrere chi era rimasto intrappolato sotto i calcinacci. A Pizzofalcone, dove un affollato rifugio era stato centrato da una bomba, una squadra di spazzini stava lavorando alla luce delle fotoelettriche per ripulire quella che pareva una pozza di spezzatino.

*22 ottobre*

Non c'è nessuna prospettiva di poter alleviare le condizioni di quasi carestia in cui versano la città e la campagna circostante.

Venerdì abbiamo avuto almeno dieci chiamate. Una ha reso necessaria la visita a una casa di contadini vicino ad Aversa i cui abitanti erano stati aggrediti da una banda di disertori. Non avendo trovato nulla da rubare, questi avevano molestato tutte le donne, sottoponendole a ogni umiliazione immaginabile, fra cui una tentata sodomia. La paura di contrarre la sifilide, comune a molti nostri soldati, aveva risparmiato alle donne uno stupro in piena regola. Una delle ragazze coinvolte in questa vicenda da incubo era straordinariamente graziosa, anche se sciupata da un gonfiore, una mollezza della carne che si manifesta soprattutto intorno agli occhi e che ho spesso notato nelle persone in stato di grave denutrizione. Ho fatto del mio meglio per consolare le vittime con vaghe promesse di risarcimento. Non c'era nient'altro da fare.

Oggi quella stessa ragazza, tremante e con gli occhi bassi, si è presentata al Comando. Ci ha consegnato una lettera del padre che, a giudicare dall'inconsueta proprietà di linguaggio, sospetto sia stata scritta dal parroco del paese.

«Signore,

«quando Vostra Eccellenza ha avuto la bontà di farci visita mi sono reso conto, dal modo in cui la guardavate, che mia figlia ha fatto su di Voi una buona impressione.

«Come sapete, la ragazza è senza madre, e non mangia da parecchi giorni. Non avendo un lavoro, io non posso provvedere al sostentamento della mia famiglia. Se siete in grado di garantirle un pasto abbondante al giorno, sarò felicissimo che rimanga con Voi, e forse potremo raggiungere, a tempo debito, un accordo soddisfacente per entrambi.

Il Vostro umile servitore».

*23 ottobre*

Un terribile spavento, stamattina, per l'informazione fornita da un agente nemico caduto nelle nostre mani secondo la quale quando fosse stata attivata la rete elettrica cittadina - e cioè alle due del pomeriggio - sarebbero esplose migliaia di mine a scoppio ritardato. È stato emesso l'ordine di evacuare tutta Napoli, e nel giro di pochi minuti i mezzi militari percorrevano avanti e indietro le strade trasmettendo istruzioni per la popolazione civile.

Quando è cominciato il grande esodo, e un milione e mezzo di persone ha abbandonato la propria casa per riversarsi nelle strade, la scena aveva i contorni di una catastrofe biblica. Bisognava mettere tutti in salvo sulle alture del Vomero, di Fontanelle e dell'Osservatorio, che dominano la città. Ciò significava provvedere, in un modo o nell'altro, alle persone costrette a letto, ai moribondi, a tutte le partorienti, per non parlare dei malati fisici e mentali ricoverati negli ospedali di tutta Napoli. L'agente aveva menzionato specificatamente cinquemila mine sepolte sotto l'enorme costruzione che ospita il 92° General Hospital, stracolmo di feriti da trasferire in un posto sicuro. Quanto a noi, abbiamo sgombrato poco prima di mezzogiorno, quando le strade cominciavano a svuotarsi dalle ultime folle terrorizzate. Ho visto uomini portare sulla schiena i vecchi genitori, e a un certo punto una piccola esplosione isolata ha provocato il panico, con donne e bambini che correvano urlando in ogni direzione lasciandosi dietro scie di orina.

Al Vomero abbiamo preso posizione in un punto della collina dove la strada era stata appositamente allargata per consentire ai visitatori di godersi il panorama, che in effetti era magnifico. Tutta Napoli era distesa sotto di noi come un'antica mappa, sulla quale l'artista avesse disegnato con minuzia quasi eccessiva i molti giardini, i castelli, le torri e le cupole. Per la prima volta, aspettando il cataclisma, ho ammirato lo splendore di questa città, vista da una distanza che la ripuliva dalla sudicia crosta del tempo di guerra, e per la prima volta ho capito quanto poco europea, e quanto invece orientale essa sia. Tutto era immobile, a parte i fluttuanti coriandoli delle colombe in lontananza. È sceso un grande silenzio, e abbiamo guardato verso il basso aspettando l'attimo della distruzione. Intorno alle quattro è giunto l'ordine di rientrare tutti.

*24 ottobre*

Stamattina l'FSO mi ha convocato per dirmi che il grande scacco di ieri è il risultato di un piano minuzioso, studiato fin nei dettagli per provocare il maggior disagio possibile nella vita della città. Un giovane soldato tedesco, di nome Sauro, si era offerto volontario per restare indietro dopo la ritirata delle truppe, e poi, non appena i palazzi avessero cominciato a saltare in aria, consegnarsi e tirar fuori la storia che tutta la città era stata minata. Il Generale, al colmo dell'esasperazione, sostiene che il soldato vada considerato una spia, e messo al muro. Le mie istruzioni erano di recarmi nel carcere civile di Poggioreale per incontrarlo, e preparare un rapporto esauriente sul caso che permettesse di stabilire se la sua esecuzione potesse essere legalmente giustificata.

Non avendo mai messo piede prima in una prigione – se si eccettua quel famigerato buco nel terreno a Philippeville, dove venivano gettati, per essere tenuti nell'oscurità più assoluta, gli arabi dissidenti – Poggioreale è stato una sorpresa. Ho esposto il motivo della mia visita in un ufficio situato tra le mura esterne e quelle interne e assediato da donne in lacrime. Si è fatto avanti un uomo con un enorme mazzo di chiavi che doveva accompagnarmi al cancello interno. L'uomo ha detto qualcosa in dialetto napoletano che non sono riuscito a capire, poi è scoppiato a ridere. Sembrava un pazzo. Quando siamo arrivati al cancello gli ha dato le spalle e, continuando a ridacchiare e a dire cose incomprensibili, ha messo le mani dietro la schiena, ha pescato al solo tatto una chiave dal mazzo, l'ha infilata senza esitazioni nella serratura e l'ha girata. Si trattava evidentemente di un macabro pezzo di bravura che veniva inflitto, come a me, a tutti i visitatori.

Il cancello si è aperto; il secondino mi ha ceduto il passo con una smorfia di orgoglio e io mi sono inoltrato nella lugubre penombra della prigione, riempiendomi i polmoni della sua aria stantia e ammuffita, e le orecchie dei suoi cavernosi echi metallici. Poi è stata la volta dell'Ufficio Matricola, lurido e tetro, con le finestre oscurate contro le incursioni aeree e un personale composto da impiegati con la barba lunga, tutti un borbottio, che in quella loro spaventosa versione della libertà non sembravano messi molto meglio dei detenuti che si trascinavano per il locale intenti a vari lavoretti di pulizia. Sono riusciti a ricostruire dove fosse rinchiuso Sauro, e un guardiano con la faccia del colore di una mummia appena liberata dalle bende mi ha accompagnato alla sua cella.

Mi aspettavo un gigantesco teutone con gli occhi chiari, e invece mi sono trovato di fronte un ragazzo minuto e bruno, che rivolgendomi un fiacco saluto nazista mi ha chiesto se gli avessi portato qualcosa da mangiare. Mi ha detto che non toccava cibo da due giorni. Non mi è difficile crederlo, in tempi in cui l'intera popolazione civile di Napoli rischia ancora di morire di fame, e alle sofferenze che i detenuti di Poggioreale devono comunque essere rassegnati a patire si è aggiunto il fardello di un sergente capo americano, aggregato in veste di consigliere all'ufficio del direttore, che ha messo su un commercio privato di forniture del carcere.

Sauro mi ha detto di non essere affatto tedesco, ma di padre italiano e madre tedesca. Quando il padre rimase ucciso a Tobruk, Sauro venne portato dai nonni in Germania, dove con un piccolo strappo ai regolamenti gli fu concesso di entrare a far parte della Hitlerjugend. Adesso ha diciassette anni, ma con quella sua bellezza emaciata di fanciullo, con quei begli occhi scuri fissi con evidente compiacimento sulla visione del martirio, ne dimostra quindici. Votatosi al proprio destino, è virtuosamente deciso a evitare ogni compromesso, un patto qualsiasi che ci aiuterebbe a trovare un pretesto per non fucilarlo. Preferisce lasciarci la sua morte sulla coscienza, e rifiuta di fornirci un qualche elemento che valga come attenuante e possa mitigare la severità della condanna. «Ho fatto tutto il danno che ho potuto. Mi spiace solo che non sia stato di più. Tutto quello che ho fatto, l'ho fatto per il Führer. Potete fucilarmi quando vi pare».

Il dilemma era proprio questo. Per quanto i generali amino essere ritenuti capaci delle azioni più spietate, in realtà, spesso e volentieri, tendono a scaricare sugli altri la responsabilità morale di decisioni del genere. Il caso era stato affidato a un certo maggiore Davis, nel quale avevo colto una certa riluttanza a ordinare la fucilazione di Sauro. Inoltre, pur non avendo ricevuto suggerimenti espliciti in tal senso, ho capito che se fossi riuscito a trovare una scappatoia per evitare il plotone d'esecuzione nessuno, alla Sezione, me ne avrebbe fatto una colpa. Il che mi andava benissimo, dato che non avevo nessuna intenzione di rendermi responsabile della morte di un fanatico di diciassette anni. Ho quindi scritto nel rapporto che Sauro soffre di squilibri mentali. Il responso è stato accettato senza commenti, ma probabilmente, in segreto, con sollievo.

*25 ottobre*

È sorprendente assistere agli sforzi di questa città tanto colpita, affamata, privata di tutte quelle cose che giustificano l'esistenza di una città, per adattarsi alla ricaduta in condizioni di vita da Medioevo. La gente si accampa all'aperto, come beduini in deserti di mattoni. Acqua e cibo scarseggiano, sale e sapone mancano del tutto. Molti napoletani hanno perduto nei bombardamenti i loro averi, inclusi quasi tutti i vestiti, e per strada ho visto bizzarre combinazioni di indumenti, per esempio un uomo con addosso una vecchia giacca da sera, pantaloni alla zuava e scarpe militari, e parecchie donne con abiti di merletto probabilmente ricavati da tende. Non ci sono automobili, ma carri a centinaia e qualche antica carrozza - come *phaétons* e calessi - tirata da cavalli scheletrici. Oggi, a Posillipo, mi sono fermato a osservare il metodico smantellamento di un semicingolato tedesco in panne da parte di un gruppo di ragazzini, che se ne allontanavano trasportando, come tante formiche operaie, pezzi di metallo di ogni forma e dimensione. A una cinquantina di metri una signora ben vestita, con una piuma sul cappellino, si era accovacciata per mungere una capra. Più sotto, sulla riva del mare, due pescatori avevano legato insieme alcune porte recuperate dalle macerie, ci avevano ammucchiato sopra le loro cose e stavano per uscire a pesca. Inspiegabilmente, a nessuna imbarcazione è consentito prendere il mare, ma nel proclama non si fa parola delle zattere. Tutti improvvisano e si adattano.

Stasera ho cenato per la prima volta in una casa privata. L'invito proveniva da una certa signora Gentile, che un membro della Sezione ha fatto uscire pochi giorni fa dal carcere Filangieri, dove i partigiani l'avevano rinchiusa, insieme ad altre donne, sulla base di generiche accuse di collaborazionismo. Si percepiva un desiderio di evasione, anzi, una voglia nostalgica di frivolezza. I nostri ospiti avevano fatto grandi sforzi per scacciare dalla mente le brutture degli ultimi tempi. C'erano molte donne splendide, una delle quali indossava una camicetta ricavata da una Union Jack; erano state ripristinate tutte le buone vecchie maniere messe al bando da Mussolini. Gli uomini facevano il baciamano alle signore, si rivolgevano l'un l'altro con un «egregio signore», e tutti usavano l'educato «lei» al posto del brutale «voi» romano dei fascisti.

Abbiamo sorseggiato schnapps, mangiato würstel, bevuto vino in bicchieri di forma e colore giusti, qualcuno ha strimpellato un mandolino, e si è parlato di Napoli e delle sue tradizioni - di questa città interamente, instancabilmente dedita alle piacevolezze della vita, e che ha sempre ignorato, e alla fine sconfitto, i suoi conquistatori. Si è parlato di sfuggita di altre guerre, ma non di questa, né di politica, né di Mussolini, né dei razionamenti o delle voci di un'epidemia di tifo.

La gradevole irrealtà della serata è finita troppo presto, interrotta dal coprifuoco. Mentre stavamo per andarcene la nostra ospite mi ha preso da parte e, con una certa esitazione, ha detto che doveva chiedermi un favore. Aveva un soldato tedesco sepolto in giardino, e si domandava cosa dovesse farne. La storia era andata così: un paio di giorni prima del nostro arrivo, quando tedeschi e partigiani stavano combattendo nelle strade, un tedesco inseguito da italiani armati aveva bussato alla porta chiedendole di nasconderlo in casa. Lei non se l'era sentita, e il giorno dopo, trovando il corpo del soldato in strada, lo aveva trascinato in giardino, si era procurata una pala e lo aveva seppellito. Quello che adesso sperava era di trovare qualcuno che la aiutasse a dissotterrare il cadavere e a farlo sparire, perché le era venuto in mente che un giorno - magari già nei prossimi anni - avrebbe potuto voler vendere la casa, e immaginava che se il compratore avesse trovato un cadavere in giardino ne sarebbe nata una situazione imbarazzante. Le ho detto che avrei potuto informare l'autorità che si occupa di questioni del genere, e mettere la cosa in mano a loro. Mi è sembrata delusa, e ha risposto che desiderava che la cosa venisse fatta con discrezione, e che forse era meglio lasciare tutto come stava. Una faccenda misteriosa.

*28 ottobre*

I napoletani prendono molto sul serio la loro vita sessuale. Una donna di nome Lola, che avevo incontrato alla cena offerta dalla signora Gentile, si è presentata al Comando con una denuncia, finita nel cestino della carta straccia non appena ci ha voltato le spalle. Mi ha chiesto se potevo aiutarla. Si è presa come amante un capitano del Royal Army Service Corps, mi ha raccontato, ma dal momento che lui non spiccica una parola d'italiano possono comunicare solo a gesti, e questo crea malintesi. Ero disposto a fare da interprete, aiutandoli a mettere in chiaro alcune questioni fondamentali?

Il capitano Frazer è risultato essere un uomo alto e attraente, di qualche anno più giovane di Lola. Visto che si occupa di vettovagliamento, può farla felice con quantità illimitate di quel nostro pane bianco che per tutti i napoletani – da due anni senza pane degno di questo nome – è assurto a simbolo del lusso e dell'opulenza del tempo di pace. Non che Lola non sia stata colpita, e molto, dall'aspetto fisico di lui. Il capitano è un tipo che non passa inosservato. Il suo pastrano, fatto su misura, è il più bello che io abbia mai visto. Il cappello, rinforzato da un qualche appretto, sta ben dritto sul davanti, e fa sembrare Frazer, che pure lavora a tavolino, un ufficiale di un reparto scelto delle ss. Lola voleva sapere tutto del suo stato civile, lui di quello di lei, entrambi si mentivano a vicenda circa i propri sentimenti mentre io cercavo di restare serio e traducevo.

Lola mi ha chiesto di far sapere a Frazer, con tutta la delicatezza possibile, che i vicini avevano avuto da ridire sul fatto che lui non andasse mai a trovarla durante il giorno. A Napoli, le visite coniugali a mezzogiorno sono di rigore. L'ho spiegato a Frazer, che ha promesso di comportarsi meglio.

Terminato l'incontro siamo andati a bere qualcosa, e Frazer mi ha confidato che anche lui aveva qualche motivo di preoccupazione. Ispezionando le natiche di Lola, le aveva trovate coperte di innumerevoli puntolini, alcuni dei quali chiaramente minuscole cicatrici. Cosa potevano essere? L'ho tranquillizzato. Erano i segni lasciati dalle iniezioni ricostituenti che vengono praticate in molte farmacie di Napoli, e alle quali molte signore della borghesia si sottopongono quotidianamente per mantenersi al massimo del vigore sessuale. Spesso l'ago non è perfettamente pulito, da qui le cicatrici.

Lola gli aveva fatto capire – con gesti che è difficile immaginare senza un brivido – che il suo defunto marito, benché prostrato dalla fame, e persino nei primi stadi della tubercolosi che lo avrebbe portato alla tomba, non aveva mai avuto con lei meno di sei rapporti per notte. Inoltre Lola aveva l'abitudine, che terrorizzava Frazer, di tenere d'occhio la sveglia sul comodino mentre lui compiva il proprio dovere. Gli ho consigliato di fare come i locali, di bersi del marsala con un tuorlo d'uovo dentro e di portare addosso una medaglietta di san Rocco, patrono del *coitus reservatus*, che ci si può procurare in un qualsiasi negozio di articoli religiosi.

Visto che Lola si è offerta di lavorare per noi come informatrice, mi è sembrato opportuno controllare i suoi trascorsi nei dossier della sezione all'ultimo piano della Questura. Dal suo fascicolo risulta che dopo la morte del marito Lola è stata l'amante di un gerarca fascista, e il documento contiene sardoniche allusioni, nel più tipico stile poliziesco, ad altri episodi della sua vita amorosa. Mi sembra incredibile che un pezzo grosso fascista non trovasse il modo di porre la sua vita privata al riparo dall'invadenza della polizia.

*1° novembre*

La novità incresciosa è che i fondi del controspionaggio stanno per essere ridotti a quattrocento lire – una sterlina alla settimana a testa. La grettezza che sta dietro a questa decisione ci lascia di stucco. La maggior parte di noi ha fino a una dozzina di contatti disposti a dedicare il proprio tempo ai nostri interessi, e questa somma miserabile – pagata in moneta d'occupazione, che non ci costa nulla stampare – è tutto ciò di cui disponiamo per ricompensarli. L'annuncio segue a ruota la notizia che alla truppa verrà corrisposto uno straordinario di nove scellini a testa, da spendere nelle festività natalizie. Che esercito di beceri!

In realtà, anche se i nostri ufficiali pagatori non hanno modo di saperlo, il denaro non fa alcuna differenza. L'informatore più fidato, simile in questo al più devoto degli amanti, è superiore all'idea di un incentivo monetario a dare ciò che ha da dare. Quello che ci faciliterebbe il compito, oltre ad alleggerirci la coscienza, sarebbe offrire a queste persone che lavorano per noi non soldi, ma un po' di cibo. Nelle grandi unità - in particolare in quelle americane - sembra abbastanza facile far sparire qualche razione, e quasi tutti i militari invitati nelle case italiane trovano il sistema di portare con sé, almeno di tanto in tanto, un pacco di provviste. In unità come la nostra, di soli tredici uomini, le razioni sono bell'e fatte, e non ci sono extra da incamerare. Se per caso alla fine di un pasto avanza qualcosa, i nostri due camerieri fanno in modo che non ne rimanga traccia dopo che hanno sparecchiato. Così, dovunque andiamo, ci presentiamo a mani vuote.

È passato Lattarullo, che mi ha lungamente intrattenuto raccontandomi con un filo di voce le nuove enormità commesse dai borsaneristi. Dice che lo speciale Nucleo Investigativo messo in piedi dal nostro zelante questore come punta avanzata nella lotta alla corruzione ha finora risolto solo un piccolo problema per uno dei più illustri chirurghi di Napoli, che è già una nostra vecchia conoscenza. A quanto pare il dottore era riuscito a comprare una Millecinquecento Fiat, poi risultata rubata. Con la procedura ordinaria, la Pubblica Sicurezza regolare avrebbe sistemato tutto facendogli sborsare circa cinquantamila lire. Ora il dottore ha dovuto invece vedersela col nuovo Nucleo, la cui incorruttibilità gli è costata cara: duecentomila lire.

Lattarullo sembrava persino più debole e affamato del solito, e anche stando seduto barcollava dalla vita in su, con gli occhi chiusi. Dopo la nostra chiacchierata ho deciso di portarlo a pranzo in uno dei ristorantini dei vicoli che hanno aperto negli ultimi giorni.

Siamo usciti insieme affrontando una città che ci stava letteralmente crollando attorno. Ovunque cumuli di macerie degli edifici abbattuti dai bombardamenti aerei, ancora da rimuovere. Ogni pochi metri Lattarullo era costretto a fermarsi per riprendere fiato ed energie. Quando abbiamo tentato di tagliare per un vicolo che conoscevamo bene, lo abbiamo trovato improvvisamente ostruito dal crollo di alcune case, con ammassi di detriti alti cinque o sei metri. C'era un tanfo spaventoso di fognature saltate, o peggio, e il Medioevo aveva fatto ritorno, con tutto il suo campionario di deformità, di malattie, di disperati espedienti. I gobbi si dice portino fortuna, e te ne ritrovavi continuamente qualcuno fra i piedi. Vendono biglietti della lotteria, e chi li compra prima di ritirarli dà loro un colpetto o una leggera carezza sulla gobba. Appoggiati ai muri, una gran quantità di idioti e dementi, anche bambini, dondolavano i loro testoni. Qualcuno aveva messo un fagottino senza gambe in equilibrio dietro a un piattino, nel quale erano stati gettati qualche spicciolo e una caramella. Nel giro di duecento metri sono stato abbordato tre volte da ruffiani in erba, e a Lattarullo, non del tutto a sproposito, è stata offerta una bara a un prezzo stracciato. Gli unici negozi di alimentari aperti sono i fornai, ma non vendono pane, solo dolciumi come torrone e marzapane fatti con zucchero rubato agli Alleati, e offerti a ben trenta lire al pezzettino. A causa del crollo di un palazzo siamo rimasti imbottigliati in via Chiatamone, dove avevano allestito una postazione sanitaria, e ogni passante veniva spruzzato con una polvere bianca contro il tifo.

Abbiamo trovato il ristorante, e ci siamo seduti in mezzo a una clientela di gente benestante, che si teneva addosso il soprabito per il gran freddo. Tutti i cappotti erano ricavati da coperte militari rubate. In un braciere ardeva un soffocante deodorante antisettico, che faceva tossire tutti senza peraltro coprire l'odore di fogna che saliva dalle commessure del selciato.

Il rituale di questo ristorante prevede che un cameriere faccia la sua comparsa e passi fra i tavoli portando su un piatto quello che Lattarullo chiama il «pesce-esca», per far sì che i clienti lo esaminino tra mormorii di ammirazione. Il pesce di oggi aveva una bellissima testa, ma il corpo era già stato diviso in porzioni, ed era quindi irriconoscibile. Come sempre, c'era il trucco. Lattarullo ha insistito per guardarlo da vicino, e mi ha fatto notare come la testa non combaciasse con il corpo, e come la spina dorsale triangolare fosse una prova inconfutabile della sua appartenenza alla famiglia dei gattucci, che chiunque, se può, fa a meno di mangiare. L'altro piatto del giorno era una cotoletta di vitello alla milanese, molto bianca, ma altrettanto rinsecchita, che il cameriere, dopo lunghe insistenze da parte nostra, ha ammesso essere di cavallo. Abbiamo optato per i maccheroni.

Non si erano dati la pena di isolare i clienti dalla strada. In mezzo ai tavoli, pronti ad avventarsi su ogni crosta che sembrasse scartata, o a raccattare gli avanzi prima che venissero gettati ai gatti, si aggiravano ragazzini cenciosi, con occhi rapaci, gli scugnizzi napoletani. Ancora una volta, non ho potuto fare a meno di notare l'intelligenza – quasi il tratto intellettuale – delle loro espressioni. Nessuno ha fatto il gesto di scacciarli. Ci si limitava a fingere che non esistessero. I clienti, in comunione col loro cibo, si erano come ritirati dal mondo. È stato trascinato dentro uno storpio incredibile che si teneva in equilibrio a faccia in giù su un carretto, a pochi centimetri dal suolo, le braccia e le gambe stese in fuori come le zampe di un ragno. Nessuno ha alzato gli occhi dal piatto neppure per un attimo per rivolgergli uno sguardo. Il ragazzo non poteva usare le mani. Uno degli scugnizzi ha raccolto per lui un pezzo di pane da terra e gli ha girato la testa di lato per cacciarglielo tra i denti, poi lo hanno trascinato via.

Sulla soglia sono improvvisamente comparse cinque o sei ragazzine fra i nove e i dodici anni. Portavano orrende uniformi dritte e nere abbottonate fino al mento, calze e scarpe nere, e avevano la testa rapata come carcerati. Piangevano, e quando si sono aggrappate l'una all'altra e si sono avvicinate a tastoni inciampando nei tavoli e nelle sedie, mi sono reso conto che erano tutte cieche. Avevamo sotto gli occhi una tragedia e una disperazione che non si potevano ignorare. Mi aspettavo che gli indifferenti commensali allontanassero i piatti e saltassero su inorriditi, ma nessuno si è mosso. Forchettate di cibo venivano introdotte nelle bocche aperte, il mormorio della conversazione continuava, nessuno vedeva le lacrime.

Lattarullo mi ha spiegato che le bambine venivano da un orfanotrofio del Vomero, dove aveva sentito dire – e qui ha fatto una smorfia – che le condizioni di vita erano pessime. Ha poi scoperto che erano state portate fin qui per una gita di mezza giornata da un accompagnatore, il quale a quanto pare non sapeva o non voleva impedire loro di lasciarsi trascinare via dall'odore del cibo.

Questa esperienza ha cambiato il mio modo di vedere le cose. Fino a oggi mi ero aggrappato alla rassicurante convinzione che, in definitiva, gli esseri umani arrivano ad accettare il dolore e la sofferenza. Adesso ho capito che mi sbagliavo e, come san Paolo, mi sono convertito, ma al pessimismo. Quelle bambine, ognuna delle quali avrebbe potuto essere mia figlia, sono entrate nel ristorante piangendo, e piangevano quando le hanno portate via. So che, condannate a un buio senza fine, alla fame e alla solitudine, piangeranno per sempre. Non guariranno mai dal loro dolore, dal cui ricordo, del resto, neanch'io potrò mai guarire.

*5 novembre*

Sono passato a trovare per la prima volta due nuovi contatti, l'ingegner Losurdo e l'avvocato Mosca, e ho scoperto – non che la cosa mi abbia sorpreso del tutto, a questo punto – che vivono in condizioni quasi identiche a quelle di Lattarullo. Abitano tutti e due in via Chiaia, dove un tempo risiedeva l'aristocrazia cittadina, in palazzi vasti, bui e nudi dei quali occupano un piano solo. I due edifici risalgono agli inizi del diciottesimo secolo, e hanno portoni sovrastati da insegne nobiliari ormai quasi cancellate. Ognuno ha la sua guardiola fiocamente illuminata, dove un'identica vecchina siede nella penombra a far la calza, e dietro ante massicce un cortile con la pavimentazione di pietra solcata dal bicentenario passaggio delle carrozze. Nei modi dei due uomini, mentre mi invitavano a entrare in stanze che in pratica erano vuote, c'era una sfumatura di imbarazzo, una punta di giustificazione. Mi hanno fatto passare per un corridoio spoglio e mi hanno ricevuto nel salotto, dove pochi mobili erano sistemati alla rinfusa, come in una sala d'aste. Credo rappresentassero l'intero contenuto dell'appartamento, radunato in fretta e furia in una sola stanza. In entrambi i casi la tappezzeria – che un tempo a Napoli era ostentazione di lusso – sta ammuffendo, e lo smalto delle porte e delle cornici delle finestre è tutto screpolato o staccato. Si sente un lieve odore vegetale, che fa pensare alla presenza di tarli. L'impressione generale è di una povertà orgogliosa, ma molto concreta.

L'ingegner Losurdo e l'avvocato Mosca si intonano alla perfezione al loro ambiente, ragione, questa, per cui somigliano moltissimo l'uno all'altro, come pure a Lattarullo – al punto che potrebbero tranquillamente essere membri della stessa famiglia. Ho avuto l'impressione che siano stati troppo poveri per sposarsi, troppo poveri per fare qualsiasi cosa che non fosse lottare con considerevole tenacia per salvare le apparenze. Tutti e tre hanno buttato lì una discretissima allusione al proprio lignaggio. Gli antenati di Lattarullo hanno combattuto con Caracciolo nella guerra contro Nelson e i Borboni, e Mosca avrebbe diritto al titolo di «conte» sul biglietto da visita, ma non gliene importa più nulla. Hanno modi principeschi, e a volte sentendoli parlare si ha l'impressione di ascoltare il dottor Johnson in traduzione italiana. Ciascuno di loro si è elegantemente adattato a un tenore di vita molto inferiore a quello di un qualsiasi proletario napoletano.

A Napoli si è tentati di dare la colpa di ogni cosa alla sciagurata guerra, ma conoscendo più a fondo la città uno capisce che questa è solo una faccia della verità, e che la quasi miseria dei miei tre amici è un fenomeno antico e ben noto. La guerra ha semplicemente aggravato la loro situazione. Nel 1835 Alexandre Dumas, dopo aver passato qualche settimana in città, scrisse che solo quattro famiglie dell'alta società napoletana avevano patrimoni considerevoli, che una ventina tirava avanti passabilmente, mentre tutte le altre dovevano penare per mettere insieme il pranzo con la cena. L'importante era possedere una carrozza dipinta di fresco tirata da una coppia di vecchi cavalli, un cocchiere con la sua logora livrea e un palco riservato al San Carlo, dove si svolgeva gran parte della vita sociale della città. La gente viveva in carrozza o a teatro, ma le loro case erano interdette ai visitatori, ed ermeticamente sigillate, dice Dumas, per gli stranieri come lui.

Dumas scoprì che tutte le antiche famiglie di Napoli, con pochissime eccezioni, vivevano in ristrettezze, e un secolo più tardi la situazione è rimasta pressappoco la stessa. Parlavano in modo realistico e quasi convincente dell'età dell'oro delle proprie famiglie sotto l'Impero Romano, ma non avevano abbastanza da mangiare. L'aristocrazia di Napoli, a quel tempo, consumava solo un pasto ogni ventiquattr'ore, alle due del pomeriggio in inverno e a mezzanotte in estate. Il loro cibo era scadente e monotono quasi quanto quello dei carcerati, consistendo invariabilmente in qualche centesimo di maccheroni insaporiti con un po' di pesce, e innaffiati con l'Asprino d'Aversa, che a sentire Dumas sapeva più di sidro aspro che di vino. Ogni tanto, per concedersi un colpo di vita, uno di questi nobili pezzenti si costringeva magari a fare a meno del pane o dei maccheroni per un giorno, e spendeva quanto aveva risparmiato per un gelato, da consumarsi sfarzosamente in pubblico, all'elegante Caffè Donzelli.

In quei giorni, l'unica professione che si aprisse a un giovane di buona famiglia era il servizio diplomatico, e poiché il Regno di Napoli metteva a disposizione solo sessanta posti, il novanta per cento degli aspiranti che venivano scartati doveva rassegnarsi a un'aristocratica inattività. La versione novecentesca di questa situazione, quale si rifletteva nelle esistenze in qualche misura sterili di Lattarullo, Losurdo e Mosca, sembra cambiata di poco, nelle sue linee essenziali. Oggi le libere professioni hanno preso il posto della diplomazia, ma sono talmente sovraffollate che danno da vivere a meno di uno su dieci tra quanti le intraprendono. Lattarullo e compagni sono stati cresciuti nell'idea che dedicarsi al commercio, come pure a qualsiasi altra forma di attività manuale, fosse inammissibile. Così, mentre gli altri tirano la cinghia, loro muoiono letteralmente di fame.

*10 novembre*

Le abitudini sessuali dei napoletani non mancano mai di offrire nuove sorprese. Oggi il principe A., che conosciamo tutti molto bene essendo un nostro entusiastico informatore fin dai primi giorni della Riviera di Chiaia, ci ha fatto visita insieme a sua sorella, che invece vedevamo per la prima volta. Il principe è proprietario di una grande tenuta da qualche parte nel Sud, dove si reca solo di rado, e di un palazzo qui vicino, stipato di ritratti di famiglia e di antichità cinesi. È il capo di quella che viene considerata la seconda o terza famiglia nobile dell'Italia meridionale. Avrà una trentina d'anni, e sua sorella più o meno ventiquattro. La somiglianza fra i due è fortissima: sono entrambi sottili, con la carnagione pallidissima e un'espressione aristocratica e fredda che rasenta la severità. Scopo della visita era accertare se ci sarebbe stato possibile sistemare la sorella in un bordello militare. Gli abbiamo spiegato che nell'esercito britannico non esistono istituzioni del genere. «*A pity*», ha detto il principe. Entrambi parlano perfettamente la nostra lingua, che hanno imparato da una governante inglese.

«Be', Luisa, direi che se non si può, non si può». Ci hanno ringraziato con squisita pacatezza, e se ne sono andati.

La settimana scorsa, un membro della Sezione era stato invitato da un'informatrice a visitare insieme a lei, la domenica pomeriggio successiva, il cimitero di Napoli. Gli informatori vanno coltivati anche nelle piccolezze, se solo è possibile, e il nostro era abbastanza preparato ad accondiscendere a un capriccio del genere, convinto che gli sarebbe toccato accompagnare la sua amica in visita alla tomba di famiglia, e al massimo comprare un mazzo di crisantemi dalla bancarella fuori dal cancello. Tuttavia, appena messo piede all'interno, la signora lo ha trascinato dietro una lapide e – nonostante il freddo – si è coricata a terra e ha sollevato la gonna. Lui si è accorto che il cimitero ospitava molte altre coppie dedite a un'energica attività alla luce del sole. «C'era più gente sopra la terra che sotto» ci ha poi detto. Si è scoperto che il cimitero è la passeggiata degli amanti di Napoli, e tradizione vuole che appena varcato il cancello si diventi invisibili. Se un visitatore incrocia qualcuno che conosce non può scambiare con lui né un cenno né un'occhiata, così come nessuno dà segno di riconoscere un amico incontrato sul 133, l'autobus che porta al cimitero. Adesso so che invitare una signora a una corsa sul 133 la domenica pomeriggio equivale a farle una proposta sconveniente.

Visto che nella vita civile ha interessi nel campo della medicina, Parkinson si occupa dei dottori di Napoli. Il suo contatto più prezioso è il professor Placella, specializzato in restauro della verginità. Vanto di costui è che il suo imene di rimpiazzo sia molto meglio dell'originale, tanto che persino al più vigoroso dei mariti possono volerci tre notti per averne ragione – e tutto a sole diecimila lire.

*15 novembre*

Lattarullo mi ha invitato a pranzo. Gli ho detto che non poteva permetterselo, e gli ho chiesto, a ogni buon conto, dove contava di procurarsi il cibo. Con un sorriso enigmatico, mi ha risposto «Vedrai». Sembrava così ansioso che accettassi l'invito che ho dovuto dire di sì. Prima di presentarmi nel suo appartamento di via San Felice ho ordinato un paio di marsala al nostro bar, intascando le uova per portargliele. Da Lattarullo era già arrivato un altro ospite, un ometto con le sopracciglia incredibilmente folte, l'alito cattivo e le mani coperte di peli, che mi è stato presentato come il cavalier Visco. Nell'appartamento c'era un lieve, quasi impercettibile odore di cucina, fuori luogo come incenso in un bordello, e sullo sfondo si aggirava una ragazza del vicinato armata di strofinaccio, evidentemente chiamata per dare una pulita. Come si usa a Napoli, Lattarullo si era fatto prestare una sedia da uno e piatti e posate da un altro, e per l'occasione aveva recuperato l'unico oggetto di valore rimastogli: un vassoio d'argento, dono, a sentir lui, di Vittorio Emanuele ai suoi antenati, che gli era riuscito di conservare nella buona e nella cattiva sorte.

La vicina ha gettato via lo strofinaccio, si è pulita le mani sul vestito, è uscita dalla stanza ed è tornata poco dopo con il vassoio. Avevo già visto questo oggetto magnifico, con le sue decorazioni a sbalzo di putti e foglie di vite, ma solo attraverso gli strappi dell'involucro di carta marrone in cui veniva abitualmente custodito. Adesso, lucidato e restituito alla sua vera funzione, era di uno splendore abbacinante. Quando la ragazza lo ha portato, è stato come se assorbisse tutta la luce dell'ambiente; Lattarullo e il cavaliere sono diventati più pallidi che mai, e Visco ha levato al cielo le sue zampe pelose in segno di giubilo.

Il cibo che ci apprestavamo a consumare formava una montagnola umida al centro dell'enorme piatto, e dall'odore, oltre che dall'aspetto, ho immediatamente riconosciuto la «Carne con verdure», la più ripugnante razione dell'esercito. Il mucchietto gelatinoso di montone senza età era circondato da tocchetti di quel pane grigio sporco che vendono al mercato nero. Visco mugolava di piacere, e rendendomi conto di quanti stratagemmi, quanti sforzi, quanti sacrifici fosse costato quello che avevo davanti ho cercato di mostrare un moderato entusiasmo.

Dopo pranzo Lattarullo ha spiegato la ragione di

quell'incontro. Mi ha detto di essere entrato a far parte di un'organizzazione separatista, della quale Visco era uno dei capi, che si prefiggeva la restaurazione del Regno delle Due Sicilie. Visco ha quindi esposto filosofia e scopi del suo movimento. L'Italia del Sud e la Sicilia, secondo lui, formano un'unità culturale ed economica, che prospera solo con l'unione politica. I governi del Nord le hanno invece sempre sottovalutate, considerandole aree endemicamente arretrate, di un qualche valore solo come fonti di manodopera e di risorse alimentari a buon mercato. Non potevo dargli torto. Di fatto – qualsiasi italiano è pronto ad ammetterlo – il Sud è in pratica una colonia del Nord industrializzato.

In questo momento, ha detto Visco, il Sud si trova a fronteggiare un pericolo nuovo. Con il crollo del fascismo, uno spostamento politico a sinistra viene dato per certo. È risaputo che un'alta percentuale dei soldati di ritorno dal fronte è stata influenzata dalle idee comuniste. Visco e i suoi sono quindi convinti che il Nord – tradizionale roccaforte dei sentimenti socialisti – sia destinato a diventare rosso. Stando così le cose, è auspicabile che il Sud si salvaguardi tagliando i ponti col resto d'Italia, e ricostituendo l'antica unione politica di Napoli e Sicilia sotto forma vuoi di una monarchia cristiana e antisocialista, che dipenderebbe in misura consistente dal sostegno occidentale, vuoi, addirittura, di una colonia della Gran Bretagna o di un nuovo Stato americano.

Lo stile di vita proposto per questo nuovo regno, colonia o stato che sia, appare singolare. L'industrializzazione, che per Visco è la radice di tutti i mali della società, andrebbe rigorosamente soppressa, e le poche fabbriche in funzione nel Sud demolite. Bisognerebbe ricondurre i meridionali a una vita virtuosa legata alla terra. I lavoratori dei campi verrebbero alloggiati in baracche, vestiti con tuniche al ginocchio di lana grezza, nello stile degli antichi contadini romani (i patrizi porterebbero la toga), e nutriti con una dieta povera a base di farina cotta nell'acqua. Li si incoraggerebbe ad alzarsi presto, a sposarsi per tempo, a pregare con regolarità e a mettere al mondo una prole numerosa. Persino i pochi trattori esistenti verrebbero smantellati, e sostituiti dall'aratro «a chiodo» in uso al tempo dei Romani. Visco è dell'idea che anche le donne debbano essere impegnate a tempo pieno. Ogni momento lasciato libero dal telaio andrebbe impiegato con profitto nei campi, dove lavorerebbero a fianco degli uomini portandosi dietro i bambini legati sulla schiena, come le squaw indiane.

Ho ascoltato questi voli di fantasia con aria grave. Visco ha detto che i separatisti hanno sostenitori segreti ovunque e presto cominceranno il reclutamento e l'addestramento. Naturalmente servono fondi e armi. La sua speranza è che gli Alleati comprendano come qualsiasi loro contributo a sostegno dell'instaurazione di uno stato anticomunista, in un'area di così vitale rilevanza strategica, sarebbe da considerare un ottimo investimento.

Infine, ha detto, i separatisti hanno bisogno di ufficiali esperti. È convinto che la guerra con la Germania finirà per Natale, e alla sua conclusione i separatisti prevedono di sferrare la loro offensiva. Visco è pronto a offrire a me e a tutti i miei colleghi, non appena liberi dai nostri attuali obblighi, un ingaggio nel suo esercito. «Potreste rimanere qui, a guerra finita» ha detto. «Sistemarvi, occuparvi delle vostre terre... Godreste di molti privilegi. Vivreste come un barone. Perché tornare in Inghilterra, nella nebbia?».

Sono stato a sentire con tutta la serietà possibile, ma non è stato facile mantenere il contegno.

*25 novembre*

Il cibo, per i napoletani, viene anche prima dell'amore, e la sua ricerca è altrettanto insaziabile e ingegnosa. Quanto a ciò che sono pronti a mangiare, poi, gli abitanti di questa città sono adattabili quasi come i cinesi. Un contatto di Nola ha raccontato che le cicogne non si fermano più a covare nei paesi della zona da quando, l'anno scorso, la gente del posto ha rimediato alla penuria di cibo mangiandosi le nidiate. Il fatto, da chi non ne ha beneficiato direttamente, è considerato una sventura, dato che anche in Italia come altrove esiste una diffusa e superstiziosa riluttanza a molestare questi animali.

Un altro esempio di impresa culinaria è stato quello che è costato la vita a tutti i pesci tropicali del famoso acquario di Napoli nei giorni precedenti alla Liberazione. Nessun pesce, per quanto strani e unici fossero il suo aspetto e le sue abitudini, è stato risparmiato. Tutti qui sono certi che il piatto forte del banchetto di benvenuto offerto al generale Mark Clark – il quale aveva espresso una preferenza per il pesce – fosse costituito da un piccolo di lamantino, l'esemplare più pregiato della collezione dell'acquario, bollito e servito con una salsa a base d'aglio. I due esempi sono la prova di un genio dell'improvvisazione. Ma già alcuni piatti della cucina tradizionale napoletana sono di per sé abbastanza singolari. Sul Vesuvio fanno un formaggio morbido farcito con interiora d'agnello. La specialità del Giovedì Santo è il sanguinaccio, sangue di maiale cotto con cioccolato ed erbe aromatiche.

La mia esperienza della gastronomia napoletana si è arricchita grazie a un invito a cena, la cui principale attrattiva era rappresentata da una gara a chi mangia più spaghetti. Competizioni del genere, che prima erano un numero fisso della vita sociale, negli ultimi tempi sono state riportate in auge e innalzate quasi al livello di culto in seguito alla ricomparsa, sul mercato nero, delle necessarie materie prime.

Partecipanti: uomini seri e facoltosi, tra i quali un ex vicequestore, un direttore del Banco di Roma, e molti eminenti avvocati, ma nessuna donna. Prima di venire trasferite nei piatti, le porzioni di spaghetti sono state pesate su una bilancia. Il metodo d'attacco era quello classico, introdotto, a quanto dicono, da Ferdinando IV, che ne diede dimostrazione, a beneficio di un pubblico in visibilio, dal suo palco al San Carlo. La testa viene tenuta bene indietro, e la forchettata di spaghetti sollevata in alto, quindi lasciata penzolare e poi cadere nella bocca aperta. Ho notato che i concorrenti favoriti non tentavano neppure di masticare gli spaghetti, pareva anzi che li trattenessero nella gola fino a stiparla, per poi svuotarla con una violenta contrazione del pomo d'Adamo - nel farlo, a volte, diventavano tutti rossi in faccia. Vincitore: un medico sessantacinquenne, che ha ingurgitato quattro piatti da duecentocinquanta grammi l'uno ed è stato acclamato con battimani ed evviva. Dopo aver educatamente ringraziato, è uscito dalla stanza per vomitare.

*26 novembre*

Quasi tutti i ristoranti hanno riaperto e sono pieni di ufficiali, anche se, teoricamente, l'accesso sarebbe loro proibito. Il mercato nero regna sovrano, e in alcuni casi i prezzi richiesti, e ottenuti, sono inverosimili. Si dice che da Zi' Teresa una grossa aragosta costi l'equivalente di una sterlina, e che il prezzo di un buon pasto a base di pesce sia esorbitante: dieci scellini. Il vino è caro in proporzione, quello dei vigneti più pregiati costa cinque scellini la bottiglia. Non necessariamente questi prezzi folli vanno pagati. Tutto quello che si deve fare perché il ristoratore dimezzi il conto all'istante, e col sorriso sulle labbra, è chiedergli di firmare la ricevuta.

Da Zi' Teresa mi sono imbattuto nel capitano Frazer, che non vedevo da un paio di mesi. La sua trasformazione è impressionante. L'ho trovato seduto da solo, intento a consumare con aria lugubre il contenuto crudo, cremoso e semiliquido di un mucchietto di ricci di mare aperti a metà, che chiaramente non erano di suo gradimento. Ci siamo scambiati un po' di confidenze, e mi ha rivelato che per ovviare a certi problemi insorti nella sua relazione con la signora Lola gli avevano consigliato di mangiare frutti di mare in quantità. Ai prezzi del mercato nero poteva permettersi solo i ricci, e trovava tutta la faccenda piuttosto deprimente. Aveva un'aria incredibilmente smunta e sciupata. La sua elegante uniforme gli pendeva dalle spalle, e quando si è alzato per andarsene sembrava più un pastrano ambulante che un uomo in carne e ossa.

*5 dicembre*

La parte davvero sgradevole di questo lavoro è dover procedere agli arresti. Non ci facilita certo il compito la convinzione che non siano quasi mai necessari, e siano anzi l'esito di intrighi attraverso i quali veniamo coinvolti in vendette private. Ecco perché quando c'è in vista un'operazione del genere spesso si cerca di trovare una scusa per girare alla larga dal Comando. Oggi, avendo per caso sentito dire che bisognava andare a prelevare una donna, me la sono svignata quatto quatto a Casoria, dove ho assistito al funerale (molte prefiche tra i partecipanti) di un carabiniere assassinato ieri dai banditi. Finito il funerale, ho bevuto un paio di marsala con il capo della Polizia, sono passato a trovare i miei contatti nella martoriata Afragola, ho interrogato una ragazza di Acerra, bella come una madonna, che si è messa in testa l'idea assolutamente scriteriata di sposare un soldato della Guardia attualmente rinchiuso nel carcere militare dove sconta una condanna a sei mesi, e me ne sono quindi tornato con tutta calma a Napoli. A quel punto si erano fatte le quattro del pomeriggio, e mi sentivo fuori pericolo. Avevo appena messo piede in camera, e stavo cominciando a buttar giù i miei appunti, quando è entrato Dashwood con quel suo sorriso da budda che è segnale di guai in vista. «Meno male che sei tornato,» ha detto «sei proprio la persona...».

La donna da arrestare e tradurre al Filangieri era una certa signora Esposito-Lau, una tedesca sposata a un italiano i cui capi d'accusa più seri erano di aver fraternizzato entusiasticamente con i propri compatrioti a Napoli e di essere andata spesso a trovare i genitori a Francoforte. Visto che secondo i rapporti dello Psychological Warfare Bureau (a mio avviso esagerati) il novantasei per cento della popolazione italiana ha collaborato senza riserve con i tedeschi, mi sembrava assurdo che questa donna, che non aveva rivestito incarichi ufficiali di alcun genere né risultava avere trascorsi nazisti o fascisti, fosse stata scelta come capro espiatorio, e non mi restava che pensare che lei o suo marito si fossero fatti dei nemici, i quali ora avevano trovato il modo di vendicarsi.

La mia inesperienza in faccende del genere mi spinge a comportarmi in modo goffo e sciocco. L'esercito non fornisce corsi, istruzioni o consigli di sorta su come si arresta una donna, o sul modo di affrontare la tempesta di isteria e di dolore che si scatena quando, senza alcun preavviso, le si comunica che sta per essere strappata alla casa e alla famiglia e gettata in prigione per un periodo imprecisato. Mi ha aperto la porta il piccolo, spaurito signor Esposito-Lau in persona, con la moglie alle calcagna. Ho borbottato quel che dovevo dire, e la donna è crollata a terra svenuta ferendosi il capo contro una sedia. Si sono dovuti chiamare i vicini per farla rinvenire, consolarla e vestirla in modo adeguato alla circostanza, e la casa si è presto riempita di lamenti. Mi sono tenuto in disparte, e quando qualcuno mi rivolgeva la parola mi sorprendevo a rispondere con un sussurro da becchino.

Esposito-Lau, il marito, era calmo e dignitoso. Mi ha detto che lo stavano punendo per il suo successo negli affari, ed era sicuramente la verità. Purtroppo questa gente conosceva anche troppo bene la fame e il gelo che la minuta e fragile signora avrebbe patito al Filangieri. Si è scatenato un gran trambusto alla ricerca di indumenti caldi, e poiché non saltavano fuori, ho sedato la crisi dicendo che il giorno successivo sarei tornato, avrei raccolto tutto quello che mancava e l'avrei consegnato personalmente alla prigione.

Così è finita che mi sono fatto qualche amico. Si è scoperto che una delle vicine, una certa signora Nora Gemelli, ha la madre irlandese e parla inglese perfettamente. Ha preparato un tè e abbiamo conversato di Dante e delle brutture della guerra, e a poco a poco i singhiozzi sono cessati, le lacrime si sono asciugate, e la fragile, piccola prigioniera, dopo avere abbracciato per l'ultima volta il marito e gli amici, era pronta a muoversi.

*9 dicembre*

Un giorno di licenza in una domenica straordinariamente bella per la stagione mi ha offerto l'opportunità di conoscere più a fondo il quartiere. I nostri dintorni presentano una rara miscela di magnificenza e animazione popolare, dato che i palazzi in mezzo ai quali viviamo non sono in pratica riusciti a tenere alla larga artigiani e commercianti con le loro famiglie. Le nostre finestre sulla facciata guardano verso gli eleganti giardini di Villa Nazionale, con le loro palme rare e le loro file di statue di dèi ed eroi greci, concepiti per allietare la nobiltà delle passate generazioni, mentre quelle dell'ufficio danno direttamente sul portone (alto quasi cinque metri) di Palazzo Calabritto. Qui, tutti i vani al pianoterra intorno al vasto cortile che funge insieme da asilo infantile, campo da gioco e mercato sono stati occupati da piccole botteghe: un orologiaio, un fabbricante di fiori finti, un calzolaio, un trippaio, una ricamatrice, e altri ancora. Così, le numerose famiglie che popolano il palazzo hanno creato un piccolo villaggio completo, dal quale gli abitanti in pratica non devono mai scomodarsi a uscire, visto che le loro necessità possono essere soddisfatte quasi tutte sul posto.

Nel mio giro del quartiere ho notato che questo amalgama sociale è la norma: nel nostro rione il ricco e il povero vivono fianco a fianco, a continuo contatto di gomito, benché sembrino accorgersi appena della presenza l'uno dell'altro. Nel cinquanta o sessanta per cento dei casi, le famiglie povere condividono un'unica stanza senza finestre, e sono abituate a trascorrere notti soffocanti al pianterreno dei palazzi, o in vicoli tetri e senza luce. Gli aristocratici superstiti si arrangiano con una ventina di stanze a un piano alto del palazzo avito e abbandonano, quasi tutti, il resto. In passato, chiunque potesse permetterselo viveva alla Riviera di Chiaia, dove il sole, l'aria di mare e i giardini ombreggiati dalle palme costituivano una difesa contro la peste e il vaiolo che infuriavano senza tregua nei labirinti della città. Caracciolo, l'eroe dell'insurrezione repubblicana di Napoli, assassinato a sangue freddo da Nelson quando il nostro ammiraglio intervenne per rimettere sul trono l'imbelle re Borbone, viveva a un centinaio di metri dal nostro Comando. Oggi ho visitato il palazzo di famiglia e l'ho trovato il più incantevole fra questi grandi edifici sul lungomare; la piccola corte, con la sua fontana fiancheggiata da busti romani, putti di marmo e cavalli rampanti, introduceva un tocco giocoso nella severa architettura napoletano-catalana.

Proprio di fronte a Palazzo Caracciolo, all'interno della Villa Comunale, l'acquario ormai abbandonato si erge al centro di una macchia di alberi di Giuda e lecci. Sono andato anche lì. Un tempo, ha detto l'ultimo inserviente rimasto, il golfo di Napoli era famoso per i suoi polipi e i suoi crostacei rari, alcuni dei quali vivevano solo in quel tratto di mare. La collezione dell'acquario era unica nel suo genere, ma tutti gli esemplari erano stati pescati insieme al povero lamantino del generale Clark per finire in pentola nei primi giorni della Liberazione. Un po' di molluschi e di anemoni di mare erano sopravvissuti solo per qualche giorno, poi erano morti anche loro in seguito alla rottura dell'impianto di depurazione dell'acqua.

In quel punto via Carducci si congiunge alla Riviera. L'ho risalita fino alla piazza che ospita la chiesa di San Pasquale. In essa è custodito il corpo miracolosamente preservato del Beato Egidio, che ho trovato esposto nella bacheca di vetro in cui giace da circa duecento anni. Quanto si dice è vero, la carne del beato non reca segni di decomposizione, e l'espressione del volto è serena fino a rasentare l'indifferenza. Nella zona di San Pasquale il Beato gode di un'ampia reputazione come protettore delle donne incinte, e per ottenere tutti i requisiti necessari alla santificazione gli basterà aggiungere altri due miracoli a una lista già impressionante.

San Pasquale è una comunità a sé, con feste e folclore tutti suoi, e persino un superstite capitano feudale, il principe di Roccella, che in queste strade ha raccolto una formazione partigiana guidandola contro i tedeschi nelle famose quattro giornate dell'insurrezione. Mi sono trovato immerso nella vita popolare di Napoli, risorta fra le rovine. Avevano montato una giostra per bambini azionata a mano. Un vecchio con una concertina gracchiava *'O sole mio*, e vendeva i foglietti con l'oroscopo a una lira l'uno. Finalmente è di nuovo consentito uscire a pesca, e nel mercatino all'aperto una folla eccitata si era raccolta per assistere al taglio di un enorme pescespada, che in questo periodo dell'anno è raro catturare. La testa andava esposta a parte, ed era quindi stata mozzata e appoggiata sulla strada, con la spada puntata verso l'alto e i grandi, piatti occhi azzurri fissi in cielo. È un'immagine di buon auspicio, con associazioni falliche, e gli spettatori le facevano cerchio intorno con aria riverente, come sul punto di lanciarsi in una danza.

La fortuna e, ancor più, la sfortuna giocano un ruolo fondamentale nella vita dei napoletani. Non c'è gioielleria in città che non venda cornini di corallo come amuleti da portare appesi a collane e bracciali, e in via Carducci mi hanno mostrato qualcosa che non immaginavo potesse esistere: una casa che si ritiene colpita dal malocchio, da cui i passanti girano accuratamente al largo. Non c'è nulla di particolarmente sinistro nell'aspetto del numero 15, è soltanto un piccolo caseggiato moderno nel quale più di un inquilino ha posto fine ai propri giorni. L'unica soluzione sarebbe che fra vicini ci si mettesse insieme per raccogliere il denaro bastante a costruire sul muro esterno del palazzo maledetto un altarino, ponendolo sotto la speciale protezione di qualche potente esorcista, per esempio san Gaetano.

*18 dicembre*

Di nuovo la vendetta. Non bastasse la valanga di accuse e di denunce che provengono direttamente dalla cittadinanza italiana, ci tocca subire anche gli sfoghi, in genere ancora più insensati e privi di fondamento, delle unità militari di stanza nel Napoletano. La zona brulica di compagnie del genio pionieri e ferrovieri, di unità addette alle scorte di carburante, di reparti trasmissioni, di compagnie di deposito, e così via, e i loro comandanti sono presto caduti vittima degli interpreti italiani che hanno assunto, i quali riferiscono solo quello che pensano sia opportuno che i comandanti sappiano, e li imbottiscono di fandonie pazzesche a proposito di spie e sabotatori fascisti. Inoltre tentano di coinvolgere come possono questi uomini sprovveduti e ingenui nelle faide locali, esattamente come fanno con noi.

I capi della Polizia, nella quasi totalità veri farabutti, figurano ampiamente negli indignati rapporti che ci provengono dalle unità; di recente sono state mosse numerose accuse contro il maresciallo Benvenuto, che governa con pugno di ferro il paese di Torrito, vicino ad Aversa. Un maresciallo della Polizia italiana è solo il pari grado di un sergente maggiore, ma nei piccoli centri, dove rappresenta l'ordine costituito, esercita un potere immenso, e spesso tirannico. Si dice che Benvenuto sfrutti l'insoddisfacente situazione alimentare per fare propaganda contro gli Alleati e che, per citare una denuncia anonima, «prometta, con aperta malizia, di arrestare entro pochi giorni chiunque non gli vada a genio». Gli si muove anche un'accusa più grave, e cioè di perseguire una vendetta privata contro un noto partigiano, Giovanni Albano, che ha arrestato subito dopo l'arrivo degli Alleati sulla scorta di un'accusa presumibilmente montata, e che da allora ha fatto tutto il possibile per internare.

A dire il vero abbiamo troppa carne al fuoco per preoccuparci anche di faccende del genere, ma in questo caso bisognava impedire che la storia di una nostra ingratitudine verso quanti hanno versato il sangue per noi nelle «eroiche quattro giornate» dell'insurrezione partigiana alla fine di settembre diventasse una leggenda; così oggi, con estrema riluttanza, mi sono trascinato fino a Torrito per incontrare Albano e sentire la sua versione dei fatti.

Prima di sprofondare nella desolazione attuale, Torrito sembra aver avuto qualche pretesa di grandezza. Tutte le case del corso hanno balconi. Nella piccola piazza ci sono un giardinetto con qualche palma, una scuola, un circolo, e tre o quattro palazzi che una volta dovevano essere imponenti, ma che ora cadono a pezzi. Il 30 settembre, all'incrocio tra il corso e la statale per Aversa, i tedeschi hanno fatto una strage. Ventiquattro persone, tra cui una donna, un frate, e tre ragazzini, in pratica tutti gli esseri viventi che le ss erano riuscite in fretta e furia a scovare nelle case vicine, sono state messe al muro e fucilate. Il massacro era una rappresaglia contro un'azione partigiana guidata da Albano nel vicino paese di Palo di Orta. Ho trovato l'intera popolazione di Torrito in lutto.

Sono stato ammesso alla presenza di Albano, con qualche precauzione, da una delle donne di casa sua, e mi sono trovato di fronte un uomo sofferente e inquieto, che parlava a bassissima voce, come temendo che qualcuno lo potesse sentire. La sua versione dei fatti del 30 settembre è che quel giorno, mentre i tedeschi stavano cominciando a ritirarsi dalla zona, a Torrito era giunta una segnalazione della loro presenza a Palo di Orta, dove Albano e i venti partigiani ai suoi ordini si erano subito diretti per impegnarli. Nel combattimento che seguì, lui e i suoi presero due prigionieri, sei automobili e una motocicletta, che riportarono a Torrito. Una volta in paese, Albano mandò a cercare il maresciallo

Benvenuto per richiedere il suo appoggio in caso di rappresaglia, ma il maresciallo ignorò l'appello. Albano, a quel punto, gli affidò in custodia i due prigionieri, ma Benvenuto, lavandosi le mani dell'intera faccenda, non solo li rilasciò, ma fornì loro abiti civili in modo da renderne meno probabile una nuova cattura. Purtroppo, come si seppe in seguito, i due non erano riusciti a tornare alla loro unità. Quando i carri tedeschi raggiunsero Torrito vennero ritrovate le due uniformi, e, nella convinzione che i prigionieri fossero stati uccisi, fu ordinato il massacro. Due giorni dopo, all'arrivo degli Alleati, Benvenuto arrestò Albano con l'imputazione - che a me suonava assurda - di intelligenza criminale col nemico, e a sostegno di queste accuse produsse numerose testimonianze. Albano finì dentro, e venne rilasciato su cauzione in attesa di processo.

In tutto questo sembrava esserci poca materia per un'epopea della Resistenza. Dato che Albano non aveva mai rivendicato l'uccisione di un tedesco, si doveva supporre che le cose fossero andate come diceva lui, e che si fosse sbarazzato subito dei due prigionieri. Quanto poi all'accusa di connivenza col nemico, era poco credibile, e così il mio primo passo è stato una visita all'ufficiale di Polizia responsabile della zona di Afragola, dal quale speravo di ottenere una seconda ricostruzione dei fatti. Il maresciallo di Afragola disprezza la nomea di eroe popolare che circonda Albano, di cui ha parlato come di uno «straniero» di origini siciliane e affiliato alla mafia. Ho insistito allora per avere copia delle dichiarazioni rese dai testimoni su questo caso, e me ne sono state fornite due, quella di un certo Luigi Pascarella, e un'altra di una donna, Anna Consomata.

*20 dicembre*

Ho controllato Pascarella e la Consomata nel casellario della Questura, scoprendo che tutti e due hanno precedenti: Pascarella più di uno, per sfruttamento e furtarelli vari, e la Consomata per prostituzione. A questo punto dovevo vederli entrambi. Ho trovato Pascarella a Frattamaggiore e gli ho letto la sua dichiarazione, studiando i cambiamenti di quella sua faccina volgare e ottusa da derelitto.

«Nell'agosto del 1943 Giovanni Albano è venuto a cercarmi. Mi ha detto che due soldati indiani evasi si erano rifugiati in casa sua. Diceva di essere preoccupato, perché se li trovavano potevano anche fucilarlo. Gli ho consigliato di mandarli via, ma mi ha risposto di aver sentito che i tedeschi pagavano una taglia a chi catturava prigionieri evasi. Detestava gli Alleati, e mi ha detto che se avessero vinto la guerra per noi sarebbe stata la fine. Ho accettato di accompagnarlo al Comando tedesco, dove l'ho sentito denunciare la presenza degli indiani in casa sua. Albano era un noto informatore dell'OVRA».

«In che giorno esattamente Albano è venuto da lei?» gli ho chiesto.

«Era all'inizio del mese».

«Ma lei è rimasto in prigione fino al 15».

«Allora sarà stato dopo».

«No. Non è stato dopo. Questa dichiarazione è falsa. Come ha fatto il maresciallo Benvenuto a costringerla a firmarla?».

Un attimo di silenzio avvilito, poi l'ostensione delle mani, come a mostrare le stigmate sui palmi. «Ha minacciato di incastrare mia moglie per prostituzione, se non lo avessi fatto».

Caivano. Anna Consomata è una ragazza stupenda, di un meraviglioso pallore, un angelo di Botticelli con lunghe dita affusolate da suonatrice di liuto e una massa di capelli biondi nel nero Sud. Per guadagnare tempo le ho citato il suo fascicolo in Questura, e la conversazione si è fatta subito più franca. Ho appreso con rammarico come questa Venere bionda sia stata l'amante del turpe Pascarella, il quale l'aveva costretta a confermare la sua testimonianza dichiarando di essere stata presente in occasione della visita di Albano. Ora ha una relazione con il comandante della locale British Tipper Company.

Poi è stato il maresciallo Benvenuto a essere messo dinanzi all'evidenza della propria perfidia. Stavamo l'uno di fronte all'altro, separati dalla sua scrivania. Il maresciallo, smunto e terreo, ma arrogante, sedeva sotto una bacheca chiusa con un lucchetto, piena di coltelli sequestrati ai malviventi di Torrito. Appoggiato alla parete, a portata di mano, c'era un fucile a canne mozze. In questa atmosfera da stato d'assedio prediche o arringhe sarebbero state fuori luogo. «Perché ha messo dentro Albano?» gli ho chiesto.

«Andava fatto» mi ha risposto. «Lei non ha mai vissuto qui, e non può capire come vanno le cose. Questa è Zona di Camorra. In questa terra non cresciamo partigiani. Albano non aveva interesse a uccidere i tedeschi. Lui puntava solo al bottino. Voglio mostrarle qualcosa per darle un'idea dei guai in cui ci ha cacciato con la sua famosa impresa».

È andato nel retro dell'ufficio, ritornandone con uno straccio marrone che, una volta sollevato e aperto, poteva essere riconosciuto con una certa difficoltà per una camicia insanguinata e piena di fori. Quella camicia, mi ha spiegato Benvenuto, l'aveva addosso uno degli uomini uccisi nella rappresaglia tedesca. Altre ventuno – la donna e il frate non rientravano nel conto – si trovavano tuttora in possesso delle famiglie delle vittime, ciascuna delle quali ha giurato vendetta ad Albano. Al momento opportuno, questa sanguinosa eredità verrà trasmessa al figlio maggiore del defunto. In assenza di un figlio, era già passata al parente maschio più prossimo. Albano aveva quindi in corso ventuno faide di sangue; la camicia che il maresciallo è riuscito a confiscare era appartenuta a un uomo senza famiglia.

«Le cose vanno così, a Torrito» ha detto il maresciallo. «Se fosse per me, mi girerei dall'altra parte e li lascerei fare, ma il guaio è che la cosa non si fermerebbe qui. Non appena qualcuno dovesse uccidere Albano, la sua gente gli toglierebbe la camicia, se la spartirebbe e giurerebbe di continuare la vendetta. Non ci sarebbe fine. Che cosa pretende che faccia? Io qui ho due uomini. Mezzo paese muore di fame. Abbiamo una decina di furti per notte, una rapina al giorno, e la campagna qui attorno che pullula di banditi. Non ho né il tempo né la forza di metterci sopra anche una vendetta. In un modo o nell'altro mi devo liberare di quell'uomo».

Un problema comprensibile.

*1° gennaio*

Il taglio dei cavi telefonici è diventato un flagello. La settimana scorsa ce la siamo dovuta vedere con un caso al giorno. Di tutti gli incarichi strampalati che ci appioppano, questo è il più noioso e frustrante. Anche il più ingrato, visto che non si approda mai a nulla. Finora i soli ad aver acciuffato qualche tagliatore di cavi sono quelli dello speciale nucleo investigativo della Military Police, e il paragone tra la nostra efficienza e la loro ha dato luogo a considerazioni piuttosto amare, al Comando dell'esercito. Insistono col dire che siamo di fronte ad atti di deliberato sabotaggio, mentre noi sappiamo benissimo che i pezzi di cavo vengono tagliati soltanto per il valore commerciale del rame, che come ogni altro articolo di proprietà alleata viene tranquillamente venduto in via Forcella.

Da dove si dovrebbe cominciare, secondo loro, per porre fine alla cosa? Tutto quello che possiamo fare è recarci sul luogo dove è avvenuto il taglio e svolgere indagini – come sempre inconcludenti – presso tutti gli italiani che vivono nei paraggi. La settimana scorsa, la mia prima inchiesta sul posto ha finito con l'essere una perfetta introduzione all'omertà meridionale. Erano stati tagliati una cinquantina di metri di un grosso cavo, e questo alle sette di sera, nel bel mezzo dell'affollatissimo corso di Casoria. Sono andato di casa in casa, di negozio in negozio, interrogando persone che, in nove casi su dieci, la sera precedente erano state costrette, così giuravano, a recarsi per affari in altre zone della città. Gli altri non avevano né visto né sentito nulla. Il brigadiere che comanda la stazione dei Carabinieri non era minimamente sorpreso dal mio insuccesso. Omertà (come dire: virilità), mi ha spiegato. «Sono tutti contro di noi, e sarà sempre così. È una tradizione». Nel suo atteggiamento ho avvertito un certo orgoglio.

Gli ho ricordato che i tedeschi fucilavano sul posto i tagliatori di cavi. «Certo che lo facevano» ha ammesso. «Ma grazie a Dio voi siete un popolo civile, umanitario, e ci avete liberato da quei barbari. Ci avete insegnato in cosa consista la giustizia democratica, e non ve ne saremo mai abbastanza riconoscenti». Non un muscolo del suo volto tradiva che se la stesse ridendo di me.

Il giorno dopo, a Cicciano, c'è stato un altro caso. Questa volta l'uomo era stato preso con le mani nel sacco da alcuni soldati di un'unità inglese di stanza nella zona, che si trovavano a passare di lì per caso e che lo avevano rinchiuso nella loro camera di sicurezza. Il Generale, come tutti i generali, esigeva una condanna a morte. Sembrava l'occasione buona per infondere il terrore negli animi di questi maledetti pezzenti che ci prendono per i fondelli dalla mattina alla sera. Ho incontrato il prigioniero, che sembrava in buonafede; mi ha raccontato una storia plausibile. *Naturalmente* aveva sentito il rumore di qualcuno che stava usando un'accetta per tagliare un cavo, e *com'è ovvio* si era precipitato fuori di casa per fare qualcosa; sentendolo arrivare, i ladri avevano mollato il cavo e se l'erano data a gambe. Il nostro amico aveva ritenuto suo dovere di cittadino responsabile raccogliere il cavo e buttarlo nel suo giardino, dove sarebbe stato al sicuro mentre lui usciva di nuovo per riferire l'incidente alla Polizia. In quel preciso istante l'avevano beccato.

Benché la storia suonasse come la tipica sceneggiata napoletana, era pur sempre possibile che le cose fossero andate davvero così, per cui ho deciso di accordare all'uomo il beneficio del dubbio, e di fare quanto potevo per salvargli la vita. C'è stata un'altra visita ai Carabinieri, e per un po' ho stentato a credere che il brigadiere non fosse lo stesso con cui avevo parlato il giorno prima a Casoria. Chiamandomi «Eccellenza», in pochi minuti ha trovato una scusa qualsiasi per congratularsi con me – esattamente come l'altro – in quanto rappresentante di un paese amante della giustizia.

«Quest'uomo ha precedenti penali?».

«Eccellenza, la sua fedina è immacolata come l'anima di un innocente ucciso da Erode».

«Dopo aver finito con lei vado alla Pubblica Sicurezza. Se mi danno una versione diversa la riterrò responsabile».

«Eccellenza, vi giuro sul lutto che porto per mia sorella morta vergine...».

«Ha mai sentito parlare di omertà?».

«Sì, certo, ma non penserete che sia il caso mio. Dopotutto siamo colleghi, voi ed io. Dio mi è testimone, preferirei mentire a mio padre che a voi».

La sua faccia rimaneva una soave maschera napoletana. Ho scritto «Ai Carabinieri non risulta alcuna condanna», e ho deciso di non prendermi neppure la briga di andare alla Polizia, dove il risultato sarebbe stato sicuramente lo stesso. Cos'altro ci si poteva aspettare? Perché questa gente dovrebbe dare i suoi compatrioti in pasto a noi, se non lo aveva fatto con i tedeschi? Per quel che mi riguardava, il verdetto avrebbe dovuto essere di insufficienza di prove. Se il Generale voleva insistere col suo plotone d'esecuzione, erano fatti suoi.

*5 gennaio*

Mi è stata affidata la sicurezza di un certo numero di comuni a nord di Napoli, in un raggio di circa venticinque chilometri dalla città. I più grandi sono Casoria, Afragola, Acerra e Aversa. Anche se di sicuro l'esercito non ne è al corrente, si trovano tutti all'interno della famigerata Zona di Camorra. L'incarico è di quelli disperati, e a prenderlo troppo sul serio ci sarebbe di che avvilirsi. Ad ogni buon conto, ho passato gran parte della settimana scorsa a perlustrare la zona e cercare di scoprire quel che potevo su questi luoghi desolati.

Viste da fuori, attraverso i frutteti che le circondano, queste cittadine sembrano graziose – tante Napoli in miniatura, strette a grappolo intorno alla loro chiesa con la cupola azzurra. Dentro, sono l'immagine stessa della povertà e della sofferenza, con tracce di una perduta prosperità. Ci sono alcuni palazzi con porticati e, qui e là, una torre aggiunta dai ricchi signorotti di una volta tanto per spendere in qualche modo il denaro accumulato. Ora però stanno andando in rovina, e i senzatetto hanno tirato su le loro baracche nei cortili. La zona è molto fertile. È con la ricchezza prodotta da questi frutteti, da questi campi, da queste vigne che sono stati costruiti i palazzi nobiliari di Napoli. Tutta la terra, qui intorno, appartiene a un pugno di famiglie, e da sempre i contadini che la lavorano vivono in condizioni molto vicine alla schiavitù. Ai giorni nostri la guerra e la perdita di manodopera hanno reso ancor più gravosa una miseria finora accettata come naturale. Pare che in alcuni paesi sia disoccupata l'intera popolazione. I nuovi sindaci, insediati dall'Allied Military Government of Occupied Territory in sostituzione dei vecchi podestà fascisti, si dice siano in gran parte uomini della camorra. Tutti sanno che sono stati nominati con i buoni uffici di Vito Genovese, il gangster americano che, da quando ha ottenuto un impiego come interprete, è riuscito a insediarsi in una posizione di potere pressoché inattaccabile in seno al governo militare. L'ordine pubblico è affidato ai Carabinieri e alla Polizia, i quali, male equipaggiati e male armati, dispongono di due o tre uomini a testa per centro abitato, tutti sotto la costante minaccia di un attacco da parte di criminali armati fino ai denti. Quando ieri sono passato dai Carabinieri di Acerra, il brigadiere che mi ha portato in giro per il paese camminava al mio fianco con la pistola in pugno e il colpo in canna. La settimana scorsa i banditi hanno preso d'assalto la stazione di Polizia, uccidendo il militare di guardia, ferendone un altro e spogliandoli delle poche, obsolete armi che avevano con sé. E così restano solo due carabinieri per tirare avanti.

Se mai da queste parti qualcuno esercita un potere, questo qualcuno è la camorra. Il brigadiere mi ha fornito la solita spiegazione. La camorra è una forma di resistenza clandestina permanente, evolutasi nei secoli come sistema di autodifesa dalle angherie e dall'esosità di tutti i governi stranieri che si sono succeduti a Napoli. La gente della Zona di Camorra viveva in base a proprie leggi segrete e riconosceva solo i suoi altrettanto segreti tribunali, i quali pronunciavano un'unica sentenza, identica per il nemico esterno e il traditore interno: morte. Anticamente, ha detto il brigadiere, esisteva una qualche autorità morale, una qualche forma di giustizia, ma ormai non è rimasto altro che criminalità pura e semplice. Se c'è del bottino a disposizione il camorrista se lo prende e lo spartisce con i suoi compari. I camorristi appartengono alla criminalità organizzata su vasta scala, e tollerano la polizia perché quest'ultima tiene al suo posto la piccola delinquenza. L'unico che abbia mai affrontato apertamente la camorra è stato Mussolini, che aveva inviato nella zona migliaia di soldati e sbattuto i camorristi in galera dopo processi-farsa, o semplicemente li aveva mandati al confino in altre regioni d'Italia.

I poliziotti, qui come altrove, sono corrotti, e non potrebbe essere altrimenti visto lo stipendio con cui si pretende che vivano. Il capo della Polizia di una qualsiasi cittadina - di norma un graduato che si pavoneggia bardato da generale - percepisce l'equivalente, tenuto conto della svalutazione della lira, di tre sterline alla settimana. Con le sue paghe da fame, lo Stato italiano incoraggia da sempre i poliziotti a prender soldi sottobanco. Oggi poi, con l'inflazione galoppante, il potere d'acquisto dei loro stipendi è da cinque a dieci volte inferiore a quello di prima del nostro arrivo. L'unico maresciallo incorruttibile sul quale io possa contare è Lo Scalzo di Caivano, un anziano vedovo, grigio e macilento quasi quanto il mio amico Lattarullo, il cui aspetto getta il discredito sull'intero corpo. Non avendo una famiglia di cui preoccuparsi, riesce a tirare avanti, o come dice lui, ad «allungare il brodo».

Ho discusso il problema della corruzione delle forze dell'ordine col maggiore Pecorella, un comandante dei Carabinieri di Napoli, il quale ha obiettato mestamente che un corpo di polizia corrotto è pur sempre meglio di niente. L'importante è contenerne la rapacità entro limiti accettabili. Questo colloquio seguiva alle numerose rimostranze provenienti da Resina, dove a quanto pare i Carabinieri si stanno ingrassando a spese dei molti borsaneristi attivi nella zona. La settimana scorsa hanno arrestato una banda di contrabbandieri, per poi rilasciarla dietro il pagamento di quindicimila lire a testa. Un'altra banda, meno ricca, se l'è cavata con trentamila lire complessive. Il limite della decenza si è toccato con la «requisizione» di un carico di pellame destinato al Consiglio di economia, custodito in caserma fino al pagamento di un riscatto di ventimila lire. Pecorella ha ammesso che quest'ultimo episodio è scandaloso. D'altronde, cosa dovrebbe fare? Se buttasse fuori quegli uomini non riuscirebbe a rimpiazzarli, e le forze a sua disposizione sono già un quarto degli effettivi regolari.

Il fatto è che, con tutte le sue manchevolezze, la Polizia riesce a mantenere in piedi il cadavere ambulante della legge, e nel farlo qualcuno ci lascia anche la pelle. Tollera i grandi camorristi perché contro di loro è impotente, e accetta con riconoscenza un po' di denaro in cambio di protezione, ma è instancabile nella guerra contro i ladruncoli – e la gente, almeno di questo, le è grata.

*7 gennaio*

Oggi mi sono procurato il primo contatto in Zona di Camorra al di fuori della Polizia. Lo Scalzo mi ha portato da donna Maria Fidora, altrimenti nota come la Pitonessa, che vive nella sua tenuta vicino a Caivano ed è la più ricca proprietaria terriera del posto. Donna Maria, in origine, era un'artista del circo specializzata nella lotta col pitone, e fu in questa veste che ammaliò don Francesco Fidora, un intellettuale che stava scrivendo un libro sul circo e che le parlò subito di matrimonio. La proposta fu accettata. Di vent'anni più vecchio di lei, e di gracile costituzione, don Francesco, secondo Lo Scalzo, morì d'infarto nell'atto di consumare il matrimonio, o poco dopo.

Tutto ciò accadde una decina d'anni fa, e da quel momento, sostiene il maresciallo, donna Maria ha mandato avanti la tenuta con mano esperta. È una donna pacata, florida, con un sorriso sognante, e senza più traccia alcuna di quella che doveva essere l'eccezionale muscolatura della sua gioventù. Abbiamo bevuto il suo vino frizzante, sgranocchiato biscotti secchi, e ci siamo lamentati dei tempi in cui viviamo. Donna Maria, mi ha raccontato più tardi Lo Scalzo, ha alle sue dipendenze un esercito privato col quale mantiene l'ordine sul suo territorio, che per questa ragione è un'oasi di pace e di tranquillità nell'anarchia generale dei dintorni. Nessuno riesce a fargliela, dice Lo Scalzo. Su quello che accade dietro le quinte ne sa quanto il sindaco, ma, visto che la camorra non ammette donne al suo interno, dal mio punto di vista è una fonte di informazioni molto più affidabile.

*12 gennaio*

L'epidemia dei cavi tagliati continua, accompagnata dal cupo brontolio delle minacce del Generale in sottofondo, e da un'offensiva in grande stile della Military Police. Come sempre chi ci rimette sono i poveracci che tagliano i cavi, mentre ad arrivare a chi il rame lo commercia neanche ci si prova.

In questo angolino del nostro sforzo bellico regnano il marasma e la tragedia. Ieri Antonio Priore, robivecchi, di età ignota ma presumibilmente intorno ai settanta, stava spingendo il suo carretto per le strade di Afragola quando è stato fermato da una pattuglia della MP che ha perquisito il suo carico di cianfrusaglie trovandovi alcuni pezzi di cavo. In un primo momento Priore, credendo che i militari fossero interessati all'acquisto di cavo, ha spiegato loro, con l'aiuto dell'interprete, che là dove lo aveva preso ce n'era ancora un bel po'. Quando lo hanno arrestato è rimasto di sasso, e continuava a spiegare che il rame era dei tedeschi; durante l'occupazione tedesca, diceva, la radio alleata istigava gli italiani a fare quello che aveva fatto lui, né più né meno.

Se la sarebbero dovuta sbrigare gli MP, ma in qualche modo mi ci sono trovato dentro anch'io, e sono stato spedito a Poggioreale per incontrare Priore. L'ho trovato nella sua cella, tremante di paura e intirizzito. È molto vecchio e malandato, e, se non proprio tocco, certo tutt'altro che lucido. Sicuramente non si spiegava come mai fosse finito a Poggioreale. Lui aveva sempre capito che gli Alleati promettevano di ricompensare gli italiani come lui che lavoravano per la loro causa, e quale miglior prova del suo patriottismo di tutto quel cavo tedesco? Fino a quel momento non si era parlato proprio per niente di ricompensa, macché, lo avevano preso, sbattuto in prigione e tante grazie. «Così gli Alleati hanno vinto, eh? Buon per loro» ha detto. «Di sicuro, il poco che potevo io l'ho fatto». Pensava chiaramente che fossi venuto per farlo uscire. «Meno male che torno a casa dalla mia vecchia» ha continuato. «Non mi è piaciuto che stava sola in casa, l'altra notte. Non è che cammina più tanto bene». I suoi occhi di vecchio, rossi e umidi, parevano pieni di lacrime, quando sono arrivato; così, al momento di lasciarlo, non ho potuto capire se stesse piangendo oppure no.

Nel pomeriggio, sotto una pioggia gelida e impietosa, sono andato ad Afragola. Trovare la baracca di Priore, in mezzo ai campi ridotti a pantani, è stata un'impresa. All'interno, un'orrenda, maleodorante povertà: una vecchia raggrinzita come una mummia, vestita da capo a piedi, stava coricata sul letto, sepolta sotto una pila di stracci. Gatti famelici, ratti, il tetto sconnesso, un soffocante fetore di escrementi. Nessuna traccia di cibo. La casa più vicina a duecento metri.

Alla stazione dei Carabinieri ho trovato il brigadiere in stato di shock. Stava seduto alla scrivania e fissava il vuoto. Ogni giorno doveva vedersela con scontri a fuoco tra bande rivali, banditi, saccheggi da parte di disertori, vendette, rapimenti, sparizioni inspiegabili, presunti casi di tifo, la paga che non arrivava e la penuria di approvvigionamenti di ogni genere, munizioni incluse – e il fatto che qualcuno potesse occuparsi della sorte di una vecchia abbandonata lo lasciava esterrefatto. «Se vi preoccupa così tanto,» ha detto «perché non rilasciate il vecchio e non la fate finita?».

Da Afragola sono andato al Comando della MP per prendere qualche campione di cavo, e poi alle Trasmissioni per un parere tecnico. «Certo che è cavo tedesco,» ha detto il capitano «ma come metà del cavo che usiamo. Adesso è nostro. Bisogna vedere a quando risale il taglio». Ha osservato attentamente il punto in cui il cavo era stato troncato. «Brilla, vero?».

Sono tornato al Comando, dove ho fatto domanda per la scarcerazione di Priore. Mi hanno detto che la richiesta era fuori discussione. Priore veniva tenuto a Poggioreale a disposizione della Military Police, nota per difendere tenacemente la propria giurisdizione territoriale. Lo processeranno tra una settimana – o forse tra due settimane, o magari tre, a seconda del carico di lavoro del tribunale. Nel frattempo la moglie potrebbe anche morire sola nella sua baracca. Non ci si può fare assolutamente nulla.

*14 gennaio*

Le voci sono il sostentamento, il pane quotidiano, di ogni sezione di sicurezza, e in una sezione come la nostra, dove si insiste perché vengano presentati rapporti quotidiani e per mettere insieme di che riempirli bisogna raggranellare il materiale dalle fonti più disparate, vengono acchiappate al volo come tappabuchi. Si dice che in alcune sezioni, certo meno coscienziose della nostra, le voci siano confezionate senza scrupoli dai militari stessi. In ogni caso, autentiche o, come nella maggior parte dei casi, false, raramente esse hanno la benché minima importanza.

La voce che stamattina l'FSO ha scovato nel mio rapporto si è rivelata una delle rare eccezioni. Leggendola, ha fatto un salto sulla sedia, e pochi minuti dopo era già in cammino verso il Comando. La voce riguardava il piano di uno sbarco ad Anzio, pochi chilometri a sud di Roma, che dovrebbe aver luogo la settimana prossima. Un paio d'ore più tardi l'FSO era di ritorno, in uno stato di grande agitazione. In questo caso la voce era fondata. L'invasione era in corso, e mi è stato ordinato di rintracciare immediatamente la fonte di una fuga di notizie che potrebbe costringerci a mandare a monte l'intera operazione.

Una faccenda davvero delicata, visto che l'informazione veniva dai Gemelli, dai quali sono stato a cena ieri sera. Fin dal giorno dell'arresto della loro vicina di casa, la signora Esposito-Lau, avevo stretto con Nora e suo marito Alberto un'amicizia che speravo sarebbe sopravvissuta alla guerra. Ogni volta che avevo una serata libera era diventata un'abitudine salire a via Palizzi e passarla coi miei amici chiacchierando del più e del meno, oppure ascoltando le letture di poesia – Dante o Leopardi, soprattutto – di Nora. Grazie ai Gemelli avevo intessuto tutta una rete di amicizie, e ora mi si diceva che dovevo tornare da queste persone per ottenere altre informazioni, anche con le minacce se necessario, il che avrebbe certamente significato perdere la loro fiducia e il loro affetto.

Ho visto Nora, e ho fatto del mio meglio per spiegarle la situazione imbarazzante nella quale mi trovavo. Il fatto che sia italiana solo per metà, e che abbia – o creda di avere – ereditato la propria emotività dalla madre irlandese, è stato indubbiamente di aiuto. Nora resta fedele a un'immagine sentimentale e letteraria della nostra sostanziale rettitudine nazionale. Inoltre io sono gallese, e cioè irlandese, o quasi. Siamo insomma tutti e due Celti, uniti nella nostra piccola camorra contro la grande camorra di Napoli, contro gli americani e in generale contro tutti gli stranieri. Risultato, ho avuto il nome di un certo ingegner Crespi, a una cena in casa del quale, presenti i Gemelli, la cosa ha avuto inizio; e Nora è andata dalla signora Crespi per prepararla alla mia visita.

Per fortuna, l'onorata e terribile tradizione dell'omertà va gradualmente scomparendo nella *upper-class* di Napoli. Se la piccola, dolce, sorridente signora Crespi e la sua famiglia avessero abitato in un basso di Sant'Antonio Abate, che a Napoli è la roccaforte di tutte le antiche e misteriose tradizioni, una delle quali innalza l'ospite alla stessa dignità e sacralità di un membro della famiglia, lei non avrebbe parlato. Si sarebbe tenuta sul vago, avrebbe preso tempo e alla fine avrebbe tirato fuori dalla manica l'immancabile asso: «Mi sono inventata tutto, mentivo per far colpo sugli amici, prendetela come vi pare». Ma la signora Crespi viveva in via dei Mille, in un caseggiato con un portiere in uniforme e un ascensore che un giorno avrebbe funzionato di nuovo, suo marito era un uomo di successo e il figlio andava all'università. Tutte queste cose avevano influito su di lei, ammansendola. La signora ha parlato, raccontando di un'altra cena ancora, durante la quale un tecnico civile inglese che lavorava per la Marina, alticcio e in vena di spacconate, aveva reagito all'opinione diffusa che la guerra fosse a un punto morto sventolando la notizia dell'imminente invasione.

Era un caso da manuale di infrazione alle regole della sicurezza, come ne avevamo studiati a decine a Matlock. Ce n'erano anche stati fatti esempi concreti, eppure era difficile credere che cose del genere potessero davvero accadere. Non sarebbe stato peggio se la fatidica notizia dello sbarco fosse stata strombazzata dall'alto della collina del Vomero. Ormai si era sicuramente sparsa in tutte le direzioni. Se l'avevo raccolta io, era difficile credere che non avesse potuto farlo uno di quelli che passano abitualmente le linee. Dalla preoccupazione dell'FSO si capiva chiaramente che la gigantesca macchina che prepara un'operazione di questa portata era ormai avviata. Il problema era se ce la saremmo sentita di andare avanti, con almeno il cinquanta per cento di probabilità che i tedeschi, aspettandoci, avrebbero rafforzato le loro posizioni.

*19 gennaio*

Un'altra mattinata di spaventosa confusione a Castel Capuano, con la giustizia amministrata, come ormai si usa, in modo singolare, per non dire bizzarro. Dovevo occuparmi del povero Antonio Priore, il vecchietto un po' tocco arrestato con l'accusa di aver tagliato un grosso cavo telefonico per venderne il rame. Priore non si è visto; probabilmente – come succede spessissimo – se lo erano perso nelle carceri sovraffollate. Mentre gironzolavo aspettandolo ho dato un'occhiata a qualche altro processo.

In gran parte erano farse. Il tribunale si trova nel bel mezzo del quartiere del mercato nero, Porta Capuana, dove ogni bancarella espone senza ritegno e a profusione merce di ogni tipo rubata all'esercito; eppure in questo stesso posto c'erano uomini trascinati in catene davanti al giudice, i quali per essere stati trovati in possesso di cinque o sei stecche di sigarette americane ricevevano la condanna attualmente prevista di tre mesi di reclusione, oltre al pagamento di un'ammenda di trentamila lire. È stato esaminato il caso di un uomo accusato di detenzione di merce rubata. Si è presentato un MP che ha sostenuto di averlo arrestato lui, cosa che l'uomo, che aveva già scontato sei settimane di carcere, ha negato. Ha detto al giudice di essere stato arrestato da una pattuglia, di cui però quell'altro non faceva parte, e di non avere comunque mai capito perché. L'MP ha reso la sua testimonianza in modo talmente confuso che il giudice ha dovuto interromperlo più volte.

GIUDICE: Ma si ricorda di lui, o no?

MP: La sua faccia ha qualcosa di familiare. È tutto quello che posso dire. Dopo l'arresto di quest'uomo ho seguito altri cinquanta casi.

GIUDICE: Mi faccia vedere i suoi appunti su questo caso.

Si è scoperto che l'MP non aveva appunti, e il caso è stato chiuso.

L'uomo che ha avuto la fortuna di venire chiamato immediatamente dopo questo insuccesso ha beneficiato del crescente sconforto del giovane giudice, e se l'è cavata con una condanna di sole duecento lire per possesso di scarponi militari. Si è poi passati a due casi molto più gravi, nei quali non solo il testimone a carico non si è presentato, ma erano pure andate perdute tutte le dichiarazioni che avrebbero dovuto essere allegate agli altri documenti. Il giudice ha ordinato che si facessero subito venire i testimoni, ma a questo punto si è scoperto che i soli indirizzi da essi forniti non erano i loro privati, ma quello della centrale di Polizia.

Può darsi che si trattasse solo di un ulteriore, innocente esempio di caos, o forse era qualcosa di più sinistro – forse avevano corrotto i funzionari della prigione o del tribunale, nella speranza che il giudice gettasse la spugna e chiudesse il caso. Se le cose sono andate così, il gioco potrebbe rivelarsi pericoloso per gli imputati, visto che il giudice in questo caso ha disposto un rinvio, e le sentenze stanno diventando più pesanti di settimana in settimana.

L'imputato successivo, che doveva rispondere del possesso di indumenti militari, era uno di quei vecchi marpioni napoletani che si fingono mezzi rimbambiti per poter fare impunemente i pagliacci. Si stava divertendo un mondo. Parlava un dialetto quasi caricaturale, che aveva ben poco a che fare con l'italiano, e alla fine si è lanciato in una pantomima che ha suscitato risolini in tutto il tribunale. L'interprete aveva saltato con cura quasi tutto il suo *a parte*, ma il giudice, sconcertato e innervosito dalle risate, voleva sapere di che cosa si trattasse.

GIUDICE: Non ha detto qualcosa sugli americani? Cosa ha detto?

INTERPRETE: Niente, Vostro Onore, una stupidaggine. Nulla a che vedere col caso.

GIUDICE: Lasci decidere a me cosa ha a che vedere col caso e cosa no. Mi traduca quello che ha detto.

INTERPRETE: Ha detto: «Quando c'erano i tedeschi mangiavamo una volta al giorno. Adesso che sono venuti gli americani mangiamo una volta alla settimana».

GIUDICE: Gli chieda se non gli importa che abbiamo liberato lui e quelli come lui dal fascismo. Come può anche solo paragonarci ai tedeschi?

Quando l'interprete ha tradotto le osservazioni del giudice il vecchio ha levato gli occhi al cielo, se n'è uscito con un borbottio sarcastico, quindi ha fatto il gesto di esibire il sesso; il che ha suscitato risate fragorose.

GIUDICE: Mi sta facendo perdere la pazienza. Cos'altro ha detto adesso?

INTERPRETE: Con rispetto parlando, Vostro Onore, ha detto che per lui americani e tedeschi sono uguali. Ci hanno fottuto tutti e due.

GIUDICE: Dev'essere pazzo. Levatemelo di torno. Il caso è chiuso.

PRIGIONIERO: Molti auguri, Eccellenza, e figli maschi.

*22 gennaio*

Lo sbarco ad Anzio è cominciato ieri, e fino ad ora, miracolosamente, ha tutta l'aria di un successo. Sembra impossibile che i tedeschi non fossero sul chi vive. Si devono essere addormentati. Il 19 gennaio, trentacinque mappe di rilevante importanza operativa – che presumibilmente avevano a che fare con lo sbarco – sono state trovate sul pavimento di un magazzino a Torre Annunziata. Alcuni civili le stavano portando via per accendere un fuoco. A quanto hanno detto ne erano già state bruciate circa cinquecento.

*5 febbraio*

I ladri hanno scalato i bastioni del castello di Castellammare, sede del Comando della Field Security per l'Italia, hanno smontato le ruote di tutti i mezzi e se le sono portate via saltando giù dalle mura, alte dieci metri. Nonostante le sentinelle all'entrata e quelle di ronda all'interno, Castellammare - fucina di tutte le dottrine e di tutti i regolamenti in materia di sicurezza - è stata violata e brutalizzata. Siamo stati fottuti, come direbbero gli italiani. Ai loro occhi non siamo molto meglio di mariti cornuti. L'operazione è stata portata a termine in cinque minuti circa, con facilità irrisoria. La cosa fornirà un ottimo materiale ai cantastorie della zona, il cui pubblico stravede per le mascalzonate pittoresche.

Questo sfoggio di audacia e di ingegnosità mi ha ricordato i primi giorni del nostro arrivo a Napoli, e il mio stupore di fronte allo spettacolo di un carro armato in avaria abbandonato a Porta Capuana che, nonostante non si vedesse mai nessuno toccarlo con un dito, si dissolse giorno dopo giorno come se la sua corazza fosse stata di ghiaccio, finché non ne rimase più nulla. Da allora se ne è fatta di strada. Sui giornali si legge di autobus delle linee urbane visti sfrecciare verso la remota fortezza dell'Appennino, per venir qui ridotti, con tutta calma, alle loro parti componenti. Alcuni tram, lasciati lì dove erano rimasti quando i tedeschi in fuga ne avevano smantellato i generatori, si sono volatilizzati in una notte. Una locomotiva, che in seguito al furto di binari e traversine si era arenata in aperta campagna, quando binari e traversine sono ricomparsi quasi per incanto è stata portata in un luogo lontano da sguardi indiscreti per essere demolita.

A leggere i giornali e ad ascoltare quello che si racconta per strada (e in ambedue i casi ci si dilunga con gran gusto su questi folgoranti atti di pirateria), non ci sono imprese troppo azzardate, per questa nuova genia di ladri. Nella zona di Agropoli alcune piccole imbarcazioni rimaste incustodite sono state tirate a riva e fatte misteriosamente sparire; pezzi delle loro sovrastrutture sono stati ritrovati più tardi a molti chilometri di distanza nell'entroterra, nascosti in certi frutteti come fossero stati trasportati lì da un'onda di marea e lasciati in secca. Per rappresaglia, diceva il giornale che ha riportato la storia, un gruppo di pescatori ha fatto irruzione in un castello isolato nelle vicinanze ripulendolo delle tende, che sono poi state usate per riparare le vele.

Dai pali del telegrafo alle fiale di penicillina, nulla sembra troppo grande o troppo piccolo per sfuggire alla cleptomania dei napoletani. Un paio di settimane fa, un'orchestra che suonava al San Carlo davanti a un pubblico in gran parte vestito con le coperte dell'ospedale alleato, rientrando dopo cinque minuti di intervallo ha scoperto che tutti i suoi strumenti erano scomparsi. Una collezione di cammei romani – in teoria di valore inestimabile – è stata rubata a un museo, e sostituita con imitazioni moderne, ma, a quanto dicono i giornali, nel momento in cui si accingeva a disfarsi del suo bottino, il ladro ha dovuto constatare che gli originali erano, a loro volta, falsi. Adesso stanno scomparendo le statue dalle piazze, e in un cimitero sono sparite quasi tutte le lapidi. Persino i tombini devono avere ormai un valore di mercato, perché improvvisamente non se ne trovano più, e le strade sono piene di buchi.

*12 febbraio*

Sono giunto alla conclusione che la gente di Napoli non sa nulla – e nulla le importa – di quello che succede nelle campagne qui intorno. Si sono ammassati nei loro termitai umani per vivere la vita dolce, senza radici di questa amabile città dopo essersi lasciati alle spalle, probabilmente con un senso di gratitudine e di sollievo, le dure tradizioni del Sud. Quando, ad esempio, tocco con Lattarullo un argomento come la faida, le sue risposte sono intelligenti e meditate, ma tutto quello che sa dirmi potrebbe essere stato preso da un libro sui costumi tribali dei primitivi. Non ha alcuna conoscenza di prima mano di faccende del genere, così come non ce l'ha nessun altro mio amico italiano. A dieci chilometri dai caffè di piazza Dante c'è una terra sconvolta dalle faide, ma per i napoletani Afragola, con i suoi rituali da Età del Bronzo, potrebbe essere a mille miglia da qui. La strada per Caserta, dove chiunque è stato almeno una volta per visitare la reggia, passa per i sobborghi di Afragola, ma Lattarullo non si è mai preso la briga di deviare e di addentrarsi per qualche centinaio di metri nel paese che ha regalato al mondo Al Capone e Pulcinella. Eppure sia lui che gli altri miei contatti sono stati parecchie volte a Roma. Per loro Afragola, che fa parte di un'altra epoca, e di un altro mondo, è estranea e incomprensibile quanto lo è per me.

Anche i numerosi giornali di qui si occupano malvolentieri di argomenti rurali, e le sole volte che queste terre desolate ottengono una menzione è quando vi si reca in visita qualche politicante. Il maresciallo Greco di Afragola mi raccontava che di recente un ragazzino di tredici anni ha sparato in un'imboscata all'uomo che, qualche mese prima che lui nascesse, gli aveva ucciso il padre. A un episodio come questo, che a me pareva sufficientemente drammatico, un quotidiano locale non aveva dedicato neppure un trafiletto. Da queste parti, quando un uomo viene ucciso (in genere con una scarica di lupara) nel corso di una faida, la madre, se è ancora viva, bacia e succhia le sue ferite davanti a tutti i partecipanti al funerale, a dimostrazione della propria inestinguibile sete di vendetta. Sono Greco o Lo Scalzo che mi raccontano cose come questa, delle quali altrimenti non verrei mai a conoscenza.

Queste riflessioni sulla scarsa pubblicità riservata ai drammatici fatti di sangue della campagna sono il risultato dell'ennesima visita a Poggioreale per la consegna di un prigioniero. Gli omini grigi che trotterellando e ridacchiando tra loro mandano avanti l'amministrazione del carcere sembravano trattarmi come uno di famiglia, e hanno fatto tutto il possibile per tenermi a ciondolare nella penombra azzurrata dell'ufficio, dove potevano infliggermi i loro macabri scherzi, fingendo di cercare un documento smarrito o un modulo da firmare.

Nel caso di cui mi stavo occupando il prigioniero si era offerto di collaborare con un'unità alleata, ma il suo nome era stato trovato nella Lista Nera, e di qui l'arresto. Lui sosteneva - molto probabilmente a ragione, vista la frequenza con cui accadono cose del genere - di essere stato scambiato per un pericoloso fascista suo omonimo, che questa era la terza volta che gli capitava, e che era stato appena rilasciato dopo una detenzione di tre mesi, quanti ce ne erano voluti per scoprire l'errore. Può succedere, ho dovuto ammettere. I nomi delle persone finiscono sulla Lista Nera per i motivi più disparati, in gran parte assurdi, e una volta che un nome è sulla lista cancellarlo sembra impossibile. Tutto quello che potevo fare era esprimergli la mia solidarietà e promettergli di inoltrare il suo reclamo. A mio modo di vedere, metà della popolazione carceraria non avrebbe mai dovuto finire dentro, e l'unico motivo per cui ci si ritrova è il collasso della giustizia.

Nell'Ufficio Matricola, dove i prigionieri si sottopongono alle formalità per l'accettazione o il rilascio, c'era, come sempre, una lunga coda. A un uomo davanti a noi, arrestato dal controspionaggio americano, stavano prendendo le impronte digitali. Anche da piccoli dettagli come questo ci si rende conto di quanto barbaro sia il sistema, e di quanto chiara l'intenzione di far capire al prigioniero di essersi lasciato alle spalle ogni barlume di civiltà. Un impiegato dell'ufficio ha afferrato le mani dell'uomo, gli ha premuto le dita aperte prima sul tampone dell'inchiostro poi su un modulo, e gli ha fatto quindi cenno di andarsele a pulire sul muro. Migliaia, prima di lui, avevano fatto lo stesso, tanto che entrando nell'ufficio per la prima volta si aveva l'impressione che le pareti fossero state dipinte in verde scuro e nero, a raffigurare il sottobosco e le liane penzolanti di una foresta tropicale.

Mentre il mio uomo aspettava il suo turno, hanno fatto entrare nell'ufficio quattro piccoletti con l'uniforme del carcere, legati alla stessa catena. Mi sono avvicinato e, visto che erano ammanettati, ho infilato una sigaretta in ogni bocca, l'ho accesa, e ho chiesto che cosa facessero lì.

Mi hanno spiegato che erano ergastolani, e che dopo aver completato il loro primo anno in isolamento stavano per essere trasferiti sull'isola di Procida per scontare il resto della pena.

«Perché sei dentro?» ho chiesto al primo omino.

«Omicidio plurimo».

«Non mi sembri il tipo» gli ho detto. In effetti pareva incapace di far male a una mosca, e il suo volto non recava traccia di quelle ossessioni che portano a uccidere. «Quanti ne hai ammazzati?».

«Tre. Il mio amico qui cinque».

L'amico è stato spinto avanti con un tintinnio di catene, come il vincitore di un concorso. Era il più piccolo dei quattro, e il più mite, a vedersi. Un tipo del tutto comune, mansueto, che non aveva nulla dello psicopatico.

«Come hai potuto farlo?» gli ho chiesto, ma lui ha capito che la domanda fosse «come hai fatto?», e mi ha fornito con grande semplicità i dettagli più raccapricciantì.

«Ho fatto fuori un'intera famiglia con un'accetta. Ci sono voluti cinque minuti. Un lavoro rapido e pulito. Non hanno sofferto. L'ho fatto per l'onore».

Gli altri annuivano. Avevano ucciso tutti per lo stesso motivo.

«Lo rifareste?» ho chiesto.

«Nelle stesse circostanze, ci saremmo costretti. È ovvio. Non credere che ci si provi gusto, a fare una cosa del genere. Lo sbaglio è stato metterci al mondo».

Ho dato loro le sigarette che mi erano rimaste, e pochi minuti dopo li hanno portati via.

Oggi Antonio Priore è stato processato e condannato a tre anni. La vera storia di questo spaventoso errore giudiziario è la seguente. Se Priore fosse stato portato in tribunale il giorno originariamente fissato per il processo, se la sarebbe cavata con una multa – come tutti i tagliatori di cavi in quel momento. Visto però che in carcere non erano riusciti a trovarlo, l'udienza era stata aggiornata di una settimana, durante la quale le multe erano state accantonate in favore di pene detentive fino a un massimo di sei mesi. Un secondo tentativo fallito di trovare Priore aveva fatto slittare il processo a oggi, quando il minimo della pena per il taglio di cavi è diventato di tre anni.

Quando li ho contattati per chiedere se si potesse fare qualcosa, gli MP non si sono lasciati commuovere. Mi è stato detto di farmi gli affari miei.

Oggi a Pomigliano per arrestare Cesare Rossi, l'ex addetto stampa di Mussolini accusato di coinvolgimento nell'assassinio di Giacomo Matteotti, il deputato socialista che si batté fino all'ultimo per impedire l'ascesa al potere del Duce. Ha tutta l'aria di essere un altro di quei casi nei quali veniamo usati come esecutori materiali di vendette politiche italiane, che nulla hanno a che vedere né con noi né con lo sforzo bellico.

Ho trovato Rossi dal barbiere, con le guance insaponate, e gli ho detto che la Storia, alla fine, lo aveva acciuffato. Si è alzato immediatamente dalla poltrona, senza scomporsi; il barbiere gli ha asciugato la schiuma dalla faccia, lui ha pagato, lasciato una mancia, e mi ha seguito fuori. Si è rivelato un uomo cupo e taciturno. Ho scoperto che vive solo con la moglie. Dalla modestia dell'appartamento, e da un certo odore di rispettabile povertà, era evidente che Rossi, pur essendo stato uno dei fondatori del Partito fascista e, a un certo punto, addirittura in corsa per assumerne la guida, ne aveva ricavato pochissimo per sé. Gli ho detto che aveva un'ora per mettere insieme le sue cose e salutare la moglie e i vicini, ma ha declinato l'offerta. Gli addii hanno richiesto cinque minuti. Ha abbracciato la moglie, l'ha baciata sulle due guance, ha ficcato qualche effetto personale in una valigetta, e ha detto: «Andiamo». Quando siamo entrati in macchina si è voltato per mandarle uno «statte bbuono» e un ultimo cenno di saluto. È uno degli uomini più dignitosi che abbia mai conosciuto, con risorse interiori tali da permettergli di far fronte a sventure del genere senza lasciar trapelare il minimo segno di turbamento.

Il viaggio di ritorno a Napoli è durato un'ora buona, e dopo un intervallo di silenzio abbiamo parlato un po'. Rossi mi ha raccontato senza reticenze del caso Matteotti, lo scandalo internazionale che per la prima volta svelò al mondo la violenza e la potenziale spietatezza dei fascisti. La versione di Rossi era che la Sinclair Oil Company aveva pagato la somma di un milione di dollari all'onorevole Finzi, un prestanome di Mussolini, per l'autorizzazione a effettuare sondaggi petroliferi, e Matteotti, entrato in possesso delle prove dell'affare, aveva dichiarato di volerle produrre alla Camera dei deputati. Fu allora che Cesare Rossi ricevette l'incarico di eliminarlo. Aveva organizzato l'esecuzione assoldando due sicari professionisti, Filippelli e Dumini. Nei suoi confronti venne spiccato un mandato di cattura, e Rossi ricevette da Mussolini istruzioni di nascondersi. Si rifugiò a Napoli da Piscitelli, uno degli uomini di potere che agivano dietro le quinte della rivoluzione fascista, il quale in un secondo momento lo fece espatriare in Svizzera, dove a quanto sembra Mussolini e i suoi tentarono di sbarazzarsi di lui. Rossi venne quindi accolto nelle file dei circoli antifascisti in esilio ai quali rivelò i dettagli dell'affare Sinclair Oil, e scrisse poi una lettera aperta a Mussolini su queste e altre questioni imbarazzanti che fu pubblicata dalla stampa estera. A quel punto venne deciso di tendergli un tranello. Piscitelli lo convinse a venire in Italia per una riunione segreta vicino al confine con la Svizzera, dove Rossi fu catturato dalla Polizia italiana, processato per tradimento e condannato a trent'anni.

Ho avuto l'impressione che stesse dicendo la verità, non avendo ragioni per non farlo. Gli ho chiesto perché aveva fatto uccidere Matteotti. Per salvare Mussolini e per tenermelo buono, visto che il capo era lui, mi ha risposto con un'alzata di spalle. Quando l'ho consegnato ai secondini mezzi matti e ridanciani di Poggioreale, è rimasto impassibile. Ho chiesto loro di non rasarlo a zero e di non mettergli quei luridi pigiami della prigione, come fanno appena possono, anche se un detenuto è soltanto in stato di fermo.

*28 febbraio*

Già alla fine di febbraio l'inverno sta scivolando via, e l'arrivo della malinconia primaverile viene annunciato dal venditore di fave che tutte le sere, al tramonto, passa sotto le nostre finestre col più triste dei richiami: 'A fava fresca! Il calore del sole passa attraverso i muri freddi, li impregna, e la città si risveglia a nuova vita. In questi giorni - unico periodo dell'anno - si vende la pastiera napoletana, un dolce pagano di primavera fatto con vari tipi di grano tenero mondati alcuni mesi prima della maturazione, e cotti con fiori d'arancio. Ne parla anche un autore latino. Lo stretto vico Satriano, su cui si affaccia uno dei lati del nostro palazzo, ribolle di attività, cominciano le grandi e chiassose pulizie di primavera, e tutti gli oggetti indesiderati - terraglie sbreccate, vasi rotti, mobili ormai inservibili - vengono scaraventati in strada. Tutti gridano, gesticolano, e cantano strofe di lamentose canzoni d'amore, come *Ammore busciardo*. All'angolo sotto di noi è comparso un ragazzo che per cinque lire vende una raccolta di venticinque canzoni nuovissime, tutte dedicate agli amori infelici.

Stanati dal sole, i cantastorie hanno riguadagnato le loro postazioni a Villa Comunale, la lunga fascia di giardini pubblici tra noi e il mare. Mentre vengono eretti i fondali di tela che raffigurano le atrocità delle guerre fra cristiani e infedeli, si formano capannelli di ragazzini. In piedi contro quelle tele, i cantastorie cominciano la loro recita cantilenata delle gesta di Carlo Magno e dei Paladini. Da dieci secoli questa terra è battuta da eserciti invasori. Sul trono di Napoli si sono avvicendati re stranieri che hanno ridotto in schiavitù il popolo. Le rivolte sono state soffocate nel sangue. Ma niente di tutto questo ha lasciato la minima traccia nella fantasia o nella memoria dell'uomo comune, né ha sollecitato una qualsiasi aggiunta al repertorio del cantastorie. E ancora oggi, quando questi intona il suo racconto a Villa Comunale, il piccolo pubblico che gli si raccoglie intorno non vuole sentire altro. Gli Svevi, gli Aragonesi, i Borboni, e ora anche i Tedeschi vengono dimenticati in un attimo. Carlo Magno e i Paladini sono ancora vivi, per miracolo e nonostante il cinema, che tuttavia alla fine li sconfiggerà.

Domenica scorsa il sole era talmente caldo che ha fatto il suo ingresso in scena anche il primo acquaiolo. Questa figura pittoresca, con il suo armamentario, è rimasta pressoché identica a quella tramandataci dagli affreschi di Pompei. L'acquaiolo vende l'«acqua ferrata», che si estrae solo da un buco nel terreno dalle parti di Santa Lucia e ha un forte sapore ferroso. Come a Pompei, l'acqua è contenuta in un recipiente di terracotta arrotondato, «mummare», a forma di mammella – ottimo esempio dell'abilità pubblicitaria degli antichi – e una tazza costa due o tre volte il suo equivalente in vino. L'acquaiolo vende anche spremuta di limone fresco, che prepara sul posto manovrando con gran sfoggio di destrezza enormi spremiagrumi metallici. Un cucchiaio da tè di bicarbonato versato nel bicchiere produce una violenta eruzione di schiuma. Molti nostri soldati – in genere sospettosi di tutto quello che non conoscono – hanno scoperto che è un ottimo rimedio contro i postumi delle sbornie.

Rifiutano invece totalmente «'o spasso». Questa parola, che abbraccia un'ampia gamma di semi e semenze commestibili, molte delle quali di aspetto strano, racchiude un'idea di svago e dolce far niente di cui l'inglese può dare solo una traduzione approssimativa. Durante il fine settimana, adesso, nei giardini ci sono bancarelle di ceci abbrustoliti, pinoli, arachidi, e soprattutto di semi di zucca tostati in recipienti di puro rame, e il venditore richiama l'attenzione dei clienti tirando a brevi intervalli la corda di un fischietto a vapore. Nessuno dei singoli componenti dello «spasso» ha in realtà un gran sapore, ma il masticarli stimola la riflessione. Tutte queste attrazioni oggi si trovano a competere con il mercato nero, la cui presenza è la sola cosa che riporti subito la scena ai giorni nostri. Fianco a fianco con le bancarelle tradizionali vengono sfacciatamente esposte sigarette americane, con ogni probabilità rubate. Camel (in napoletano «asino gobbo»), Raleigh («Re barbuto»), Chesterfield («'O cesso fete»).

Oggi, in vico San Pasquale, ho visto il mio primo «pazzariello», tornato alla ribalta perché finalmente si stanno aprendo nuovi locali e negozi. Benché secondo la spiegazione corrente sia una specie di pubblicità a beneficio degli analfabeti, il pazzariello è in realtà un esorcista. La sua funzione è di scacciare gli spiriti maligni e liberare il locale dal malocchio. Anche lui compare negli affreschi di Pompei, ma il suo costume attuale, completo di feluca, risale all'epoca di Napoleone. All'orario di apertura, irrompe nel negozio o nel bar facendo frullare la sua mazza in ogni direzione e saltellando qua e là al ritmo della musica dei due tamburini e del pifferaio che formano la sua banda. La carica è ereditaria: pazzarielli si nasce, non si diventa.

*3 marzo*

È venuta alla luce la storia di un altro, quasi incredibile, progetto partorito dalla fantasia della Allied Force - che opera in territorio occupato - e finito come al solito in un disastro. Sembra probabile che il germe di questa macabra idea sia nato da una circolare inviata sotto Natale a tutte le unità, e formulata in parte come segue:

«Da rapporti pervenutici risulta che in territorio liberato, e in particolare a Napoli, la prostituzione abbia toccato punte mai registrate prima d'ora in Italia. La situazione è tale da far ritenere che il favoreggiamento alla prostituzione faccia parte di un piano preordinato ordito da elementi simpatizzanti per l'Asse con l'intento principale di diffondere le malattie veneree fra i militari alleati».

A furia di pensarci, alla A-Force si devono esser resi conto che nella zona di occupazione tedesca l'incidenza delle malattie veneree è molto bassa. La cosa è dovuta in parte al fatto che per la legge italiana trasmettere la sifilide è un reato punibile con un anno di prigione, e in parte al rigorosissimo controllo medico che i tedeschi hanno sempre esercitato sui bordelli. Così, per una ragione o per l'altra, il Nord occupato dai tedeschi è praticamente libero da spirochete e gonococchi, che sono stati però reintrodotti a tutti gli effetti in Italia con l'arrivo delle truppe americane. Il piano della A-Force aveva come obiettivo la diffusione delle malattie veneree, che nel Sud hanno ormai raggiunto livelli epidemici, oltre le linee, nel Nord incontaminato, in modo da fiaccare la capacità combattiva dell'esercito tedesco. Tutto questo senza fermarsi neppure per un attimo a riflettere sulle sofferenze che con tutta probabilità ne sarebbero derivate per la popolazione civile, o sui molti bambini condannati a nascere ciechi.

Alla fine della prima settimana di gennaio erano state trovate parecchie prostitute napoletane giovani e avvenenti, e i medici chiamati a collaborare al progetto della A-Force ne avevano selezionate venti le quali, pur non mostrando alcun segno esterno del contagio, erano state giudicate affette da una forma di sifilide eccezionalmente virulenta, e in pratica inestirpabile.

Le ragazze, trasferite in una villa al Vomero tenuta sotto sorveglianza, furono viziate fino all'inverosimile, rimpinzate a più non posso di pane bianco militare e di spaghetti, portate in gita a Capri. Insomma, l'unica cosa loro negata fu ovviamente l'assistenza medica, a eccezione dei controlli periodici per accertare che non si fossero sviluppate brutte ulcere. Infine furono messe a parte dei loro futuri compiti, e a quel punto cominciarono i problemi. Nessun incentivo si dimostrò sufficiente a vincere il loro comprensibile terrore all'idea di passare le linee scortate dagli agenti della A-Force. Il pagamento sarebbe stato effettuato, oltreché in banconote italiane autentiche, anche in monete d'oro da nascondere nel retto. Era un'offerta generosa, ma le ragazze sapevano fin troppo bene che il clima economico del Nord era molto più rigido di quello napoletano, e che, una volta spesa la buonuscita, guadagnarsi da vivere sarebbe stato duro e rischioso. Una ragazza, reclutata in un gruppo di dodici prostitute alle dipendenze fisse dell'Albergo Vittoria di Sorrento, che era stato trasformato in casa di riposo per il personale americano, era abituata a guadagnare mille lire a notte. Sapeva che a Roma sarebbe stata fortunata a racimolarne cento, e fu impossibile convincerla che sarebbe riuscita a nascondere a lungo le sue condizioni ai medici tedeschi.

Ma l'ostacolo principale all'impresa si è rivelato essere di natura sentimentale. Tutte le ragazze avevano dei protettori, e mai avrebbero voluto separarsene. Alcuni di questi, per giunta, essendo abbastanza affermati nella loro professione da potersi comprare favori, cominciavano a creare difficoltà attraverso l'AMGOT, il governo militare alleato dei territori occupati. Alla fine, come molti altri progetti dissennati della A-Force, anche questo fu lasciato cadere, e le ragazze vennero semplicemente rimesse in libertà per le strade di Napoli. Oggi la situazione è giunta al punto che il numero dei sifilitici ricoverati negli ospedali del Napoletano è almeno pari a quello dei feriti e di tutti gli altri degenti messi insieme.

*5 marzo*

Sono sempre di più quelli che passano le linee. Molti, incuranti dei rischi cui vanno incontro, lo fanno spinti dal desiderio di ricongiungersi alle famiglie che vivono nei territori occupati dai tedeschi. Almeno altrettanti, non c'è dubbio, lasciano quei territori per venire al Sud. Anche il numero dei corrieri è in continuo aumento. Alcuni lavorano per i servizi segreti di una o di entrambe le parti, altri semplicemente recapitano lettere dietro compenso. Questi ultimi si servono di agenti che raccolgono la corrispondenza ordinaria degli italiani. Prima tutto veniva fatto in gran segreto, ma ora i corrieri e i loro agenti prendono molte meno precauzioni. Giusto la settimana scorsa la signora Lola mi raccontava che in via Roma c'è un gioielliere che per duecento lire si incarica di consegnare lettere nella capitale. Dal punto di vista della sicurezza è una situazione catastrofica, e c'è da credere che, servendosi di queste persone, gli agenti nemici che operano nelle zone liberate non abbiano la minima difficoltà a far passare attraverso le linee tutte le informazioni che vogliono.

Entro ventiquattr'ore dalla chiacchierata con Lola, e prima che fosse stato possibile intraprendere una qualsiasi iniziativa, Lattarullo e Losurdo mi hanno fornito il nome di un portalettere – Giovanni Patierno –, che è stato presto rintracciato. Abbiamo scoperto che Patierno veniva usato come guida dagli agenti della A-Force, e che era stato anche coinvolto nel maldestro progetto di portare fino a Roma, passando le linee, le venti prostitute sifilitiche. Con l'inconsueta collaborazione della A-Force,

Patierno è stato prelevato stamattina al Caffè Savoia, in piazza Dante - che pare essere il luogo di ritrovo di questi loschi figuri. La situazione era pittoresca. Avevamo l'appoggio di una mezza dozzina di agenti della Pubblica Sicurezza, tutti vestiti come detective di un vecchio film di René Clair: paglietta, farfallino, e in un paio di casi persino le ghette. Dopo aver circondato il caffè, costoro hanno fatto irruzione con le pistole spianate e arrestato tutti i presenti. Oltre a Patierno sono stati presi molti altri corrieri, che però lavoravano tutti per la A-Force e sono stati quindi rilasciati. Messo di fronte ai propri misfatti, Patierno è crollato subito, e ci ha condotti nel suo appartamento dove ci ha indicato una stufa piena dei resti bruciacchiati delle lettere che si faceva pagare anche mille lire per recapitare. È un ometto orribile, con un'espressione volpina. Stupisce come la bassezza morale, e di quel tipo particolarmente spregevole, si rifletta così spesso nel volto. Alcune lettere raccolte durante la giornata non erano state distrutte. Appartenevano all'élite sociale, commerciale e religiosa di Napoli, e si è deciso che non se ne farà nulla, anche se il proclama prescrive, per illegalità come queste, pene severissime.

Gli agenti che raccolgono le lettere erano un caso diverso, e siamo rimasti esterrefatti nell'apprendere che uno di loro era il celebre dottor professor Salerno, il ginecologo nano - vecchia conoscenza di Parkinson - che si dice usi una scaletta per arrivare al lettino ginecologico. A quanto pare Salerno viene da una di quelle famose dinastie sorrentine di ebanisti i cui primogeniti, avendo sviluppato fin dalla tenera età, in virtù della tradizione artigianale di famiglia, una prodigiosa manualità, si dedicano da sempre alla chirurgia. Nel caso di Salerno, alla bravura tradizionale si era aggiunta la sua personale abilità di lavorare con entrambe le mani, se necessario, nella cavità pelvica femminile. Ci siamo immediatamente presentati al professore, abbiamo stretto la zampetta che ci ha pòrto, poi io ho assistito in silenzio all'interminabile scambio di convenevoli tra lui e Parkinson che ha preceduto l'annuncio delle cattive nuove. Quando gli abbiamo detto che ci trovavamo costretti a perquisire la sua casa elegante, stipata di oggetti bizzarri, nella sua faccia raggrinzita di scimmietta non si è mosso un muscolo. Durante la perquisizione, ci saltellava al fianco, intrattenendoci senza un attimo di posa con una conversazione disinvolta e arguta. Non abbiamo trovato nulla. Salerno era un tipo troppo scaltro per farsi incastrare così. D'altronde, senza una prova concreta e schiacciante, sarebbe stato impossibile incriminare con qualche speranza di successo un uomo potente come lui e della sua posizione sociale. Ci siamo scusati, gli abbiamo stretto un'altra volta la mano e lo abbiamo salutato. Il professore ci ha persino invitati a cena. Sarebbe stato presente anche un vescovo siciliano. Viene da chiedersi perché diavolo un uomo nella posizione di Salerno si sia invischiato in una vicenda come questa.

Da casa del professore siamo andati direttamente da Rufo, la gioielleria di via Roma. Qui siamo stati più fortunati, visto che abbiamo trovato molte lettere in attesa di essere prelevate da Patierno. Per quanto riguarda quel miserabile, non potevamo fargli nulla, dal momento che la frode perpetrata ai danni dei suoi concittadini non era affar nostro. Patierno è stato quindi rilasciato e abbandonato alla rabbia delle sue vittime, che non avrebbero di sicuro tardato molto a scoprire cos'era successo.

*13 marzo*

La guerra al mercato nero viene condotta con soprassalti di ferocia, ma ne cadono vittima sempre e soltanto quelli che non hanno le spalle coperte da qualcuno, o che non possono pagare per cavarsi d'impiccio. Intere stive di rifornimenti militari si dissolvono nel nulla, e ogni civile italiano che abbia un po' di soldi può comprarsi articoli di quella provenienza. Sono convinto che sarebbe impossibile fermare per strada e perquisire un solo napoletano senza trovargli addosso qualcosa dell'esercito: un soprabito o una giacca ricavati da coperte, biancheria, calze – o, quanto meno, sigarette americane in tasca.

Ieri, a Castel Capuano, ho assistito al processo dei fratelli Rufo, accusati di aver organizzato la consegna di lettere nei territori occupati dal nemico. Una farsa. Il pubblico ministero non aveva studiato il caso, non sapeva con esattezza quale degli imputati si stesse processando e aveva smarrito la traduzione delle lettere. Risultato: i Rufo se la sono cavata con un paio di mesi. L'ennesimo commendatore del Regno si è beccato un anno per il possesso di un'ingente quantità di provviste rubate agli Alleati, ma è stato rilasciato su cauzione. In appello verrà difeso da Lelio Porzio, la cui parcella ammonta ora a ventimila lire, e che è sicuro di farlo assolvere.

Il rovescio della medaglia è il caso dei portuali fermati dalla MP e trovati in possesso di razioni K. Avevano aperto una cassa e se ne erano prese cinque o sei a testa. Uno di loro è stato portato alla sbarra mentre erano in corso le schermaglie legali a proposito dei Rufo, in modo da sbarazzarsene senza perder tempo. Al solito, era in catene, e ben sapendo quanto stava per accadergli piangeva disperatamente. Al giudice ci sono voluti due minuti per giudicarlo colpevole e condannarlo a dieci anni. «Cosa succederà alla mia povera famiglia?» ha gridato lui. Lo hanno portato via in singhiozzi. Un'esperienza rivoltante.

*14 marzo*

Oggi un altro spaventoso esempio di quello che può accadere alla povera gente quando l'esercito decide di passare all'offensiva contro il mercato nero. Un ragazzino di una decina d'anni è stato portato al 92° General Hospital dalla madre sconvolta. Aveva tre dita mozzate. La madre le ha consegnate avvolte in fogli di giornale, chiedendo che gli fossero ricucite. Qualcuno le aveva detto che solo gli inglesi erano capaci di operazioni del genere. Il ragazzino faceva parte di una banda di coetanei, la cui specialità era saltare sul cassone degli autocarri militari intrappolati nel traffico, e rubare il rubabile. Avevamo sentito dire che per risolvere la cosa si era deciso di nascondere sotto un telo, nel cassone di ogni camion, un uomo armato di baionetta. Appena un ragazzino si aggrappava alla ribalta per issarsi a bordo, il soldato, che lo stava aspettando, lo colpiva sulle mani con la baionetta. Dio sa quanti bambini ci hanno rimesso le dita.

*15 marzo*

Un brutto bombardamento stanotte. Come sempre, molte vittime tra i civili nella zona densamente popolata del porto. Stamattina mi ci hanno mandato a verificare le notizie pervenute di scene di panico e di folle terrorizzate che correvano per le strade gridando «Vogliamo la pace!» e «Via tutti i soldati!». A Santa Lucia, patria della canzone napoletana, ho visto una scena straziante. Lungo la strada erano stati distesi uno accanto all'altro alcuni bambini estratti dalle macerie di un edificio bombardato. A quelli non sfigurati avevano scoperto il volto, e ad alcuni erano state deposte fra le braccia delle bambole nuove di zecca che li avrebbero accompagnati nell'altro mondo. Le prefiche, pagate dalla comunità per dare più enfasi al dolore delle famiglie colpite, correvano su e giù per la strada, stracciandosi le vesti con orribili urla. Un uomo si era arrampicato sulle macerie; parlava dentro a un buco, nel punto in cui credeva che il suo bambino fosse rimasto intrappolato sotto centinaia di tonnellate di detriti, e lo implorava di non morire prima che lo liberassero. «Resisti, figlio mio. Ancora un poco. Tra un minuto ti tiriamo fuori. Non morire, ti prego». I tedeschi, con questi bombardamenti indiscriminati, uccidono solo i poveracci – come abbiamo fatto anche noi, del resto.

Hanno distribuito alla truppa un volantino scritto in italiano da mostrare a ogni magnaccia che avvicini un soldato per offrirgli i servigi di una prostituta. Comincia così: «La tua sifilitica sorella non mi interessa». È evidente che l'autore di questa bella pensata non aveva idea delle connotazioni della frase, né delle sue possibili conseguenze. Gli apprezzamenti sulle sorelle sono rigorosamente tabù per gli italiani del Sud, e «soreta» è un insulto irreparabile, che provoca all'istante un duello o una vendetta. Parecchi soldati hanno già mostrato questo pericoloso volantino a gente che li aveva avvicinati per altri motivi. Si prevedono vittime.

*19 marzo*

Oggi eruzione del Vesuvio. È lo spettacolo più maestoso e terribile che abbia mai visto, e credo che una cosa del genere non la vedrò mai più. Uscendo dal cratere il fumo si è condensato lentamente in una grande massa rigonfia, che dava tutta l'idea di essere solida. La nube si dilatava e si espandeva così lentamente che non se ne percepiva il movimento, anche se verso sera era ormai alta nel cielo nove o diecimila metri, e larga parecchi chilometri.

La sagoma dell'eruzione che cancellò Pompei ricordava a Plinio un pino marittimo. Probabilmente lui la guardava da Posillipo, attraverso la baia, dallo stesso punto da cui Nelson e Emma Hamilton ne osservarono un'altra ai loro giorni, e dove anch'io mi trovavo oggi; e davvero la forma era quella di un albero con molti rami. La cosa sorprendente del pino di Plinio era la sua assoluta immobilità, come se fosse dipinto, ma neanche, perché era tridimensionale, modellato nel cielo, una sagoma immota, incredibilmente minacciosa. Dal pino, poi, penzolava una strana, piccola liana tropicale di ceneri pesanti, che qui e là si staccava dai rami e cadeva a terra con un movimento impercettibile.

Durante la notte lingue di lava hanno cominciato a scendere lungo i fianchi della montagna. Di giorno era uno spettacolo quieto, ma adesso l'eruzione mostrava una vivacità terribile. L'acqua della baia era graffita di simboli di fuoco, e a intervalli il cratere scaricava esplosioni di serpenti in un cupissimo cielo sanguigno, dove pulsavano i riflessi dei lampi.

*20 marzo*

Oggi il cielo era oscurato, piovevano ceneri e tutto – palazzi, strade, campi – era coperto da un manto grigio e liscio spesso un dito. A Sorrento, a Capri e a Ischia la cenere, in alcuni punti, è già alta parecchi centimetri. Si temeva per la sicurezza delle installazioni militari in zone come Portici e Torre del Greco, che in genere subiscono le conseguenze più gravi delle eruzioni, per cui sono stato incaricato di scoprire se si prevedeva – ammesso che fosse possibile farlo – un peggioramento della situazione.

Sotto una lenta, grigia nevicata sono andato a trovare il professor Saraceno, un eminente sismologo visibilmente eccitato alla prospettiva che certe sue teorie potessero dimostrarsi fondate. Saraceno sostiene che la distruzione di Pompei fu dovuta, con ogni probabilità, al distacco di una porzione di parete del cratere, che cadde all'interno del cono sigillando i condotti eruttivi. Dopodiché la pressione crebbe fino a provocare un'esplosione che scaricò nell'atmosfera milioni di tonnellate di roccia polverizzata. Da un'ispezione del cratere condotta pochi mesi prima, Saraceno si era convinto che un disastro di simili proporzioni avrebbe potuto ripetersi, e ho avuto l'impressione che la cosa non gli sarebbe dispiaciuta del tutto. L'ho ringraziato di cuore ripagando la sua consulenza con una scatoletta di carne, che è stata accolta con riconoscenza.

*22 marzo*

La violenza dell'eruzione cresce, e cresce la paura della gente. Si è sparsa la voce che San Sebastiano starebbe per essere travolta dalla colata di lava, e che anche Cercola è minacciata. Sono stato mandato a raccogliere informazioni sul posto.

Strade sdrucciolevoli per la cenere. Si sbandava di continuo. A San Giorgio un posto di blocco costringeva tutti i mezzi non impegnati nei soccorsi a fare dietrofront. I rapporti pervenuti dalla zona parlavano di una pioggia di lapilli, e della caduta in alcuni punti di pietre più grandi che avevano già provocato un morto. Ora mi trovavo proprio sotto la grande nuvola grigia, tutta rigonfiamenti e protuberanze, simile a un colossale cervello pulsante.

Arrivando a San Sebastiano, sembra incredibile che la gente del posto accetti di continuare a vivere in una posizione come quella. Il paese, costruito all'estremità di una lingua di terra fino a oggi risparmiata dal vulcano ma completamente circondata dalle impressionanti distese di lava lasciate dall'eruzione del 1872, è in effetti adagiato nell'avvallamento che separa le due colate. Solo nell'ultimo secolo ci sono state nove grandi eruzioni; in molti casi la colata ha preso questa direzione, e spesso correnti di lava sono fuoriuscite da bocche laterali ai livelli inferiori del pendio. Vedendolo lì incagliato nella terra di nessuno del vulcano, chiunque venisse da fuori giurerebbe sulla certezza matematica della sua distruzione, ma a quanto pare nessun abitante di San Sebastiano ammette anche solo la possibilità di un evento del genere. Che il paese sia destinato a durare nel tempo è un articolo di fede. Gli edifici sono solidi, e costruiti per sfidare i secoli. Sono stati piantati alberi a crescita lenta. I negozi del corso reclamizzano orgogliosamente l'anno lontano della propria fondazione. La popolazione è in aumento, e i giovani non emigrano. Tutte le finestre del paese guardano con speranza oltre le verdi vallate, a occidente, in direzione di Napoli, e le case danno le spalle al grigio, immutabile cono del vulcano. San Sebastiano risponde con il colore al deserto di antica lava cinerea che la cinge d'assedio. Nonostante la guerra, ho trovato un paese dipinto di fresco, con gerani a ogni balcone, e una vivacità supplementare fornita dai manifesti e dalle bandiere dei partiti politici.

Al momento del mio arrivo la lava stava avanzando piano piano lungo la strada principale del paese, e a cinquanta metri dalla grande massa di detriti in lento movimento alcune centinaia di persone, perlopiù in nero, stavano inginocchiate in preghiera. Reggevano bene in alto stendardi sacri ed effigi di santi, e i chierichetti facevano ondeggiare i turiboli con l'incenso e spruzzavano acqua benedetta in direzione delle ceneri. Di tanto in tanto un paesano sconvolto afferrava uno stendardo e lo brandiva contro il muro di lava, agitandolo rabbiosamente come per scacciare gli spiriti maligni dell'eruzione. Lo spettacolo che mi si presentava era assolutamente inatteso. Ero preparato a fiumi di fuoco, ma non c'erano né fuoco né incendi, solo il lento, progressivo soffocamento del paese sotto milioni di tonnellate di lava scura che si muoveva a una velocità di pochi metri all'ora, e aveva sepolto metà del paese sotto una coltre alta una decina di metri. L'intera cupola di una chiesa, intatta, staccata dall'edificio ormai sepolto, scivolava piano verso di noi sul suo letto di ceneri. Tutto accadeva in una calma irreale. Una serie di lievi sussulti e tremori ha scosso la massa nera, e dalla sua sommità sono rotolati giù grumi di cenere. Sotto i miei occhi, una casa è stata prima lentamente circondata poi travolta, scomparendo ancora intatta; un debole, distante sfrigolio ha segnalato che la lava stava cominciando il suo processo di digestione. Mentre guardavo la scena un alto edificio, che ospitava quello che doveva essere il caffè più frequentato del paese, ha dovuto sostenere la pressione della massa in movimento. Per quindici o venti minuti ha resistito, poi lo spasmo vibrante e tremante della lava è parso trasmettersi alla struttura, che ha cominciato anch'essa a tremare, finché i muri si sono gonfiati ed è crollata.

Su tutto dominava, un po' per le dimensioni stesse e un po' per la quantità di persone che ne sorreggevano il basamento fronteggiando l'eruzione, l'effigie di san Sebastiano. Imboccando una stradina laterale, tuttavia, ho scoperto un'altra statua, anch'essa circondata da molti devoti e coperta da un lenzuolo bianco. Uno dei carabinieri che perlustravano i dintorni a caccia di sciacalli mi ha detto che si trattava della statua di san Gennaro, fatta arrivare di nascosto da Napoli come ultima risorsa qualora tutto il resto fosse fallito. L'avevano coperta con un lenzuolo per evitare di offendere la confraternita di san Sebastiano e il santo stesso, che avrebbe potuto risentirsi per quell'intrusione nel suo territorio. Solo come estremo rimedio avrebbero portato allo scoperto san Gennaro, implorandolo di fare il miracolo. Il carabiniere non credeva che sarebbe stato necessario, perché secondo lui era evidente che la colata stava rallentando.

Siamo tornati insieme sul corso, e in effetti, per quanto potevo vedere io, nell'ultima ora la lava non era avanzata. Il caffè era scomparso, ma il cinema accanto c'era ancora, e adesso era protetto da una dozzina di giovani che avevano formato un cordone e brandendo le croci si erano avvicinati fino a pochi metri dalla lava. Mentre stavamo a guardare, non un solo masso era rotolato giù dal nero fronte della colata. Cadevano ancora fiocchi di cenere più soffice della neve, ma ora il giorno pareva essersi rischiarato, e per un attimo abbiamo visto davanti a noi, come attraverso uno strappo in un sipario, il cono del vulcano illuminato dal sole. Da qualche parte alle nostre spalle, un coro di voci infantili ha intonato il *Te Deum*. Forse mezza città si sarebbe davvero salvata.

*24 marzo*

Oggi è evidente che l'eruzione ha perduto vigore, e le notizie sono che una metà circa di San Sebastiano è stata effettivamente risparmiata.

Sono andato a trovare Lattarullo, il quale mi ha presentato a un amico, Carlo Del Giudice, l'ennesimo avvocato che non esercita e si guadagna da vivere in modo estremamente precario scrivendo articoli di folclore e di astronomia per i giornali.

Gliene pubblicano uno o due al mese e, calcolando la svalutazione, viene pagato più o meno l'equivalente di una sterlina al pezzo. Come Lattarullo, vive di surrogato di caffè, di semi di zucca e di una pizza quando capita, e fuma sigarette che veri e propri artisti ricavano dai mozziconi raccolti per strada. C'è chi le preferisce alle semplici Chesterfield, Lucky Strike o Camel, sostenendo che hanno più gusto. Del Giudice non ha, a differenza di Lattarullo, un'aria tirata e smunta; la fame gli ha piuttosto provocato una sorta di malsano gonfiore. Sembra un guscio vuoto.

Del Giudice è un esperto di san Gennaro, e quindi del Vesuvio, visto il legame che unisce l'uno all'altro. Ha pubblicato a sue spese un libriccino sulle spiegazioni scientifiche e naturali dei miracoli. Dato che né a lui né ai suoi amici, tutti gran conoscitori di eruzioni, era stato permesso di avvicinarsi al Vesuvio, Del Giudice era felice di poter parlare con qualcuno che aveva assistito all'evento da vicino, e ha voluto conoscere nei dettagli la mia esperienza a San Sebastiano. La cosa che lo ha più interessato è stato il racconto del san Gennaro nascosto dietro l'angolo, pronto a entrare in azione in caso di emergenza estrema.

Secondo la maggior parte dei napoletani, ha detto Del Giudice, se anche il santo fosse stato portato allo scoperto non avrebbe fatto la minima differenza. Da quattordici secoli infatti, a partire dal giorno del suo martirio a Pozzuoli, san Gennaro limita la sua attività miracolosa a Napoli, e si è convinti che non muoverebbe un dito per salvare il resto del mondo dalla distruzione. Il suo compito è tenere a bada il fuoco del Vesuvio, ma a esclusivo beneficio di Napoli. Durante tutto questo tempo Resina e Torre del Greco, rispettivamente a soli otto e undici chilometri sulla costa, sono state distrutte dalla lava, e ricostruite, sette volte.

Personalmente Del Giudice si considera uno

scettico e un razionalista, e qui Lattarullo ha annuito, come a dire, lo sono anch'io. Tuttavia, tre persone su quattro – persino fra quelle colte – sono apertamente o segretamente convinte che Napoli può essere al sicuro dal Vesuvio solo con san Gennaro dalla sua parte. Del Giudice ha ricordato l'unico periodo nella storia durante il quale la città abbia tentato di cambiare santo, e le conseguenze che ne sono derivate. Quando nel 1799 l'esercito di Napoleone prese Napoli, il santo fu chiamato a partecipare alla resistenza contro gli occupanti. I preti addetti al suo culto dichiararono che il primo sabato di maggio non si sarebbe verificata, a differenza di quanto accadeva ogni anno, la miracolosa liquefazione del sangue coagulato custodito in un'ampolla all'interno della cattedrale. Poiché da sempre si credeva che la prosperità di Napoli dipendesse da quel miracolo ricorrente, ci furono dei tumulti, durante i quali vennero uccisi alcuni soldati francesi. Alle otto di sera di quel sabato, quando già una turba urlante e inferocita si stava raccogliendo per le strade, un ufficiale dello Stato Maggiore francese si presentò dal prete che avrebbe dovuto officiare la cerimonia accordandogli dieci minuti per far accadere il miracolo, allo scadere dei quali sarebbe stato fucilato. Il sangue si sciolse immediatamente, ma san Gennaro, accusato dai napoletani di collaborazionismo, fu destituito, e la sua effigie gettata in mare. Venne sostituito da sant'Antonio Abate, scelto in quanto protettore celeste contro il fuoco, ma risultò che le sole fiamme che questi potesse prevenire o estinguere – e, secondo Del Giudice, durante il suo mandato assolse magnificamente all'incombenza – erano quelle provocate dall'uomo. Dalle testimonianze storiche, dice Del Giudice, risulta che sotto il controllo di sant'Antonio le abitazioni private in pratica smisero di prendere fuoco, ma alla prima eruzione del vulcano il santo si rivelò impotente, e quando ormai la colata stava avanzando verso la città alcuni pescatori vennero inviati a dragare il fondale marino per recuperare san Gennaro. Ci fu un attimo di crisi, poiché i pescatori avevano un bel cercare, ma la statua era rimasta sott'acqua per molti anni e non si trovava. Tuttavia, all'ultimo momento venne in aiuto una statua del santo eretta sul ponte di Maddaloni, e chissà come dimenticata, che andò incontro alla lava sollevando e spalancando le sue braccia di marmo. Con questo evento miracoloso, che si dice abbia avuto migliaia di testimoni, i giorni di sant'Antonio erano finiti. San Gennaro era tornato.

La gente, dice Del Giudice, crede a qualsiasi cosa.

*25 marzo*

C'è il timore che quest'anno il sangue di san Gennaro non ne voglia sapere di liquefarsi, e che il mancato evento possa venire sfruttato da fazioni clandestine antialleate e da provocatori per scatenare quei tumulti di massa che si sono spesso verificati in passato nella stessa circostanza. Ovunque si respira un desiderio spasmodico di miracoli e rimedi taumaturgici. La guerra ha ricacciato i napoletani nel Medioevo. Le chiese si sono improvvisamente riempite di statue che parlano, sanguinano, traspirano, muovono la testa e trasudano liquidi benefici, di cui si impregnano fazzoletti, o che addirittura si raccolgono in flaconcini, e folle ansiose ed estatiche si radunano in attesa che questi prodigi si compiano. Ogni giorno i quotidiani riportano un miracolo nuovo. Nella chiesa di Sant'Agnello un crocifisso parlante conversa abitualmente con la statua di Santa Maria dell'Intercessione – fatto confermato dai cronisti presenti. La statua di Santa Maria del Carmine, passata alla storia per aver chinato la testa onde schivare una cannonata durante l'assedio di Napoli da parte di Alfonso d'Aragona, ha trasformato quello stesso gesto in una routine quotidiana. Era nella chiesa di Santa Maria del Carmine che, ogni anno, il re e la sua corte si recavano in visita per guardare il barbiere di Sua Maestà tagliare i capelli miracolosamente cresciuti, nei dodici mesi precedenti, sulla testa di un Cristo d'avorio. È probabile che l'usanza venga ripresa. E se anche il sangue di san Gennaro non dovesse liquefarsi, a San Giovanni a Carbonara c'è un'ampolla con il sangue del santo titolare, che, a quanto dicono i giornali, va in ebollizione ogni volta che si legge il Vangelo al suo cospetto.

Oggi la donna che cucina per noi ci ha fatto sapere che si sarebbe presa un po' di tempo libero per visitare la cappella di Sant'Aspreno. Soffre di nevralgie, e spera che infilare la testa in un buco nel muro della cappella le procuri sollievo. Il santo è il patrono di tutti i sofferenti di emicrania, e ogni giorno davanti alla cappella si formano code di gente in attesa di potersi sottoporre al trattamento. Napoli ha raggiunto uno stato di esaurimento nervoso in cui le allucinazioni di massa sono diventate un fatto ordinario, e qualsiasi credenza può essere più vera del vero.

*26 marzo*

Le strade di Napoli sono piene di gente che va in giro a vendere ogni genere di oggetti personali: gioielli, libri antichi, quadri, vestiti, e altro ancora. Molti di loro appartengono alla borghesia, e ti avvicinano con una faccia imbarazzata, fingendo di volere tutt'altro. Sono tutti, dal primo all'ultimo, in condizioni di estremo bisogno.

Oggi, in fondo a via Roma, vicino a piazza Dante,

sono stato fermato da un'anziana signora con un viso grazioso, che non aveva niente da vendere, ma mi ha implorato di accompagnarla a casa sua, in un vicolo poco lontano da lì. Aveva qualcosa da mostrarmi, ed era così insistente che l'ho seguita nel basso in cui viveva. L'unica stanza, senza finestre, era illuminata da una minuscola lampadina elettrica accesa sopra il solito altarino, e ho visto una ragazzina magra in piedi in un angolo. Il motivo dell'invito adesso era chiaro. Quella era sua figlia, ha detto la donna, aveva tredici anni, e lei voleva prostituirla. Molti soldati, a quanto sembra, sono disposti a pagare per un po' di sesso anche senza arrivare al rapporto completo, tanto che per queste prestazioni la donna disponeva di un apposito, rivoltante tariffario. Per venti lire, ad esempio, la ragazza si sarebbe spogliata, esibendo i propri organi ancora acerbi.

Le ho detto che l'avrei denunciata alla Polizia, e la donna ha fatto finta di piangere, ma la mia era una minaccia a vuoto, e lei lo sapeva benissimo. Non ci si può fare nulla. Non ci sono abbastanza poliziotti per far fronte alle migliaia di squallidi reati minori di questo genere commessi ogni giorno in città.

Sulla via del ritorno sono stato fermato e trascinato in un angolo da un prete sorridente, con le labbra livide. Ha aperto una borsa piena di manici di ombrello, candelabri e piccoli oggetti ornamentali di ogni genere intagliati in ossa di santi, e cioè ossa trafugate da qualche catacomba. Anche lui deve campare.

Se si eccettuano le definizioni in negativo del Comando (il personale della Field Security non verrà impiegato in alcun caso in qualità di interprete) nessuno in pratica sembra sapere chi siamo e cosa facciamo. Di conseguenza, tutti i lavori che nessun altro reparto delle forze armate ha intenzione di sobbarcarsi vengono automaticamente indirizzati a noi. Adesso ci annunciano che dovremo indagare su ogni richiesta di matrimonio con militari britannici avanzata dalle italiane della zona di Napoli, e preparare un rapporto. Questo comporterà assumere informazioni dalla Polizia e dai Carabinieri, reciprocamente ostili e in competizione, interrogare l'interessata, e accertarsi delle sue condizioni materiali e dell'ambiente in cui vive.

Un lavoro ingrato, che nessun altro membro della Sezione sembra ansioso di accollarsi, e che quindi è stato affibbiato a me.

*29 marzo*

Miracoli a profusione, negli ultimi giorni. Durante il fine settimana le folle si sono riversate ai Campi Flegrei per assistere all'esibizione di una Bernadette locale di dodici anni, alla quale la Vergine è ripetutamente apparsa con messaggi rassicuranti per la popolazione. C'era la banda, e, in assenza di un mezzo di trasporto più appropriato, il sindaco di Marano è arrivato su un carro funebre.

A Pomigliano abbiamo un frate volante,* che mostra anche le stigmate. Il frate sostiene di essere asceso al cielo, l'anno prima, mentre era in corso un combattimento aereo, per prendere fra le braccia un pilota italiano colpito e riportarlo a terra sano e salvo. Quasi tutti i napoletani che conosco – alcuni dei quali sono persone colte – sono convinti che la storia sia vera.

* Padre Pio, divenuto in seguito famoso [*N.d.A.*].

*1° aprile*

Gita con Frazer, la signora Lola e una sua amica sulla lancia che porta i rifornimenti a Capri. Frazer, deperito ma elegantissimo come al solito, con la sua blusa da combattimento di buon taglio e la sciarpa a pois dei Desert Rats; Lola meravigliosamente rimpinguata grazie alla ricomparsa, sui menu di Napoli, della pasta. Susanna, la sua amica, è una vivace rossa sui venticinque in possesso di una mimica talmente espressiva che in pochi minuti, e senza che si fossero scambiati una parola, è riuscita a riassumere a Frazer la storia della sua vita. Le due signore, per l'occasione, si erano vestite in modo assurdo, con pellicce di volpe, e cappellini di paglia decorati con frutta di vetro appuntati in cima allo chignon.

Era una di quelle radiose mattine per cui Napoli è famosa. Pochi minuti dopo essere usciti scoppiettando dal porto, la città alle nostre spalle fluttuava su strati di foschia, e i suoi colori forti, i suoi rossi e i suoi corallo, si erano tutti smorzati in un grigio tenue. Poi un promontorio coperto di pini che sembrava un disegno a matita, e le cime delle torri, e Castel Sant'Elmo sospeso sulla città, e poi ancora uno splendore abbacinante. Frazer ha tirato fuori una pagnotta, e si è messo a tagliarla tra i gridolini di gioia delle ragazze. L'attrattiva della gita era Capri, ma certo anche il pane bianco che le signore, col pretesto del picnic, potevano mangiare a sazietà. Lo masticavano con gusto e ridevano fragorosamente, gettando le croste rosicchiate ai gabbiani che scortavano la nostra barca. Un peschereccio di frodo ha virato nervosamente, trascinandosi via un motivetto di mandolino, e davanti a noi Capri è sbucata dalla coltre di nebbia come la cima di un vulcano.

Si pensa che Capri, come l'hashish, abbia il potere di snidare il demone, qualsiasi demone, in agguato sul fondo dell'animo umano, e la gente sbarca a Marina Grande già ipnotizzata dalla fama del luogo. Frazer ha consegnato i rifornimenti, poi siamo saliti in paese e ci siamo seduti a un caffè in piazzetta. Era un mondo completamente diverso da Napoli; frivolo, intriso di finzione, e con una smania quasi isterica di mostrare il proprio disinteresse per la guerra. Benché per i civili sia difficile ottenere i lasciapassare per l'isola, la vecchia fauna caprese era presente al gran completo, gli uomini vestiti da safari, le donne con sandali e veli fluttuanti, come tante Isadora Duncan pronte a partire per l'ultimo, fatale viaggio in Bugatti.

Abbiamo ordinato l'immancabile marsala – l'alternativa essendo un gin del posto che odora di trementina –, poi le ragazze hanno tirato fuori dalle borsette di perline il pane che avevano messo da parte e hanno cominciato a mangiarlo. Il cameriere ci ha fatto il conto in tedesco, si è allontanato con un *danke* per la mancia, e noi ci siamo calati nel ruolo assegnatoci nel teatrino di Capri. Seduto al tavolo vicino, un maggiore americano, con le braccia intorno alla vita di due ragazze, cantava una sgangherata versione di *Torna a Surriento*, e quando gli altoparlanti comunali hanno cominciato a gracchiare una tarantella, una delle ragazze si è lasciata convincere a saltellare in quella che doveva essere una specie di flamenco. Un parassita di Napoli che conoscevo vagamente di vista si ostinava a indicarmi Madame Quattrodollari, un'espatriata che deve il suo soprannome al prezzo fisso con cui compensa i pescatori per le loro prestazioni, e a proporci una visita alla Villa di Tiberio, i cui lontani scandali fanno parte integrante delle attrattive dell'isola. Per un attimo ha fatto capolino il volto spiritato di Curzio Malaparte, che credevo nel campo di internamento di Padula, da dove evidentemente era stato rilasciato; tra i suoi cortigiani ho notato un ufficiale inglese che, contagiato dall'ambiente, faceva smorfie e gesticolava come un forsennato.

Fino a quel momento la gita era stata un gran successo. Per le ragazze quella era vita, e Frazer, che veniva dal blando anticonformismo di Peebles, ha dovuto ammettere di non aver mai immaginato che potesse esistere un posto come Capri. Poi, improvvisamente, al nostro tavolo c'è stata una grande agitazione, le due ragazze si sono messe a bisbigliare in tono concitato, si sono alzate di scatto, si sono infilate nel caffè e sono scomparse. Frazer, andato a cercarle, è tornato indietro senza sapere cosa dire. Lola e Susanna erano uscite dalla porta sul retro svanendo nel nulla. Mentre cercavamo di spiegarci questo strano comportamento abbiamo notato, a un tavolo dall'altra parte della strada, un italiano basso, coi capelli grigi, che ci guardava storto, e ho intuito che la sua presenza doveva avere qualcosa a che fare con la precipitosa uscita di scena delle ragazze.

Abbiamo fatto un giro del paese, troppo piccolo per essere un buon nascondiglio, e alla fine abbiamo trovato le fuggitive. Fingendo educatamente, per quanto possibile, di crederci, siamo stati ad ascoltare la storia messa in piedi da Lola per spiegare l'accaduto. Il piccolo italiano invelenito era un vecchio amico di famiglia che aveva concepito una passione per Lola, e nonostante lei gli avesse detto cento volte di non volerlo più vedere, continuava a darle disperatamente la caccia, a seguirla, a renderle la vita impossibile saltando fuori dal nulla come aveva fatto oggi. Con le lacrime che le sgorgavano dagli occhioni innocenti, Lola ha giurato a Frazer che la loro relazione era sempre stata solo platonica. Il compito di tradurre tutte queste rassicurazioni, e il fuoco incrociato di accuse e dinieghi che ne è seguito, è toccato a me.

Più tardi, dopo essere tornati a Napoli e aver riaccompagnato a casa le ragazze, Frazer ha voluto sapere fino a che punto credessi alla storia di Lola, e a me sembrava che tacendogli quanto sapevo non gli avrei reso un buon servizio. L'ometto inferocito era un direttore del Banco di Napoli, e in passato era stato un alto funzionario del governo fascista, anche se non abbastanza importante da dover essere internato. «Credi che sia ancora il suo amante?» voleva sapere Frazer.

«Ti sei chiesto come tira avanti? Cosa mangia? La pelliccia di volpe dove l'ha presa secondo te? Non è che la mantieni tu. Cerca di vedere le cose come stanno».

«Non ho mai incontrato una donna bella come Lola» ha detto Frazer. «Credevo mi amasse».

«Certo che ti ama» gli ho risposto. «Ma un giorno, prima o poi, tu verrai trasferito da qualche altra parte, e lei dovrà continuare a vivere qui. Cosa pretendi che faccia, la fame? Che vada a lavorare in fabbrica? L'amore va benissimo, ma Lola deve pur vivere».

«Forse è così. Ma penso sia il caso che non ci vediamo più».

«Sta a te decidere» gli ho detto.

*3 aprile*

Oggi Frazer, visibilmente scosso, è passato al Comando, e siamo andati al Vittoria per bere qualcosa. Sembrava aver mandato giù il fatto di aver condiviso con l'ex federale i favori di Lola e di dover continuare a farlo finché la relazione fosse durata, ma era molto preoccupato per un'aggressione che la ragazza aveva subìto da parte dell'altro, e che secondo lui andava considerata un tentato omicidio.

Mi ha raccontato che, dopo la gita a Capri, Lola si è rifiutata di vederlo per tre giorni, e quando poi è ricomparsa aveva degli spaventosi lividi sul collo.

L'ho rassicurato. Si trattava del cosiddetto «strozzamento». Fra amanti si usa, è quasi una convenzione, e le ragazze di Napoli lo accettano, la considerano addirittura una prova di passione, al contrario di quanto avviene per lo «schiaffeggiamento». Se il direttore di banca l'avesse presa a schiaffi, Lola lo avrebbe lasciato su due piedi, il che significa che per il suo mantenimento si sarebbe rivolta a Frazer. «Di' un po',» gli ho detto «saresti in grado di riservarti l'esclusiva, con dieci sterline alla settimana?».

«No» mi ha risposto. «Credo che sarei costretto a lasciarla».

*5 aprile*

A tutt'oggi portate a termine ventotto inchieste su altrettante potenziali spose di guerra, ventidue delle quali si sono rivelate essere prostitute. Sette vengono descritte ufficialmente come tali negli schedari della Polizia o dei Carabinieri. Che le altre si mantengano con guadagni illeciti è evidente, dato che, in ambienti in cui regnano fame e assoluta miseria, loro e le loro case sono pulite e in ordine, i bambini, se ci sono, hanno le scarpe, e nelle dispense il cibo non manca.

La domanda è sempre la stessa: «Da dove vengono i soldi?». E la risposta non cambia mai: «Mi manda qualcosa mio zio». Chiedo l'indirizzo dello zio, spiegando che sono tenuto a controllare, e ne ottengo un sorriso triste, e un'alzata di spalle. Il gioco è finito. Non esiste nessuno zio.

«Puoi fare qualcosa per me?» chiede in genere la ragazza. «Non ho scelto io di vivere così. Dammi la possibilità di andarmene da qui e sarò una buona moglie come qualsiasi altra».

Nell'ultimo bollettino del Bureau of Psychological Warfare si dice che a Napoli quarantaduemila donne esercitano, occasionalmente o con regolarità, la prostituzione. Questo, su una popolazione femminile nubile che si aggira intorno a centocinquantamila. Pare incredibile. Tra le ragazze che ho interrogato, tre su quattro probabilmente smetteranno di prostituirsi non appena avranno la prospettiva di guadagnarsi da vivere con altri mezzi. Si vorrebbe poter fare qualcosa per queste donne che chiedono di sposare i nostri soldati. Quasi tutte le ventidue ragazze respinte sembravano gentili, affettuose, bravissime nelle faccende domestiche, ed erano anche molto belle. Nove ragazze italiane su dieci hanno perduto i loro uomini, scomparsi in battaglia, nei campi di prigionia, o rimasti tagliati fuori nel Nord occupato. L'intera popolazione è senza lavoro. Nessuno produce nulla. Come devono fare per vivere? Ci sono napoletani che non hanno più toccato carne da due anni. In realtà, la cosa incredibile è che ogni tanto queste ragazze riescano a trovare un maschio - militari a parte - in grado di pagare le modestissime somme che sono pronte ad accettare in cambio delle loro prestazioni.

*7 aprile*

Mi sono recato al GRTD di Nola per interrogare cinque soldati inglesi evasi da un campo di prigionia tedesco vicino a Terni, arrivati sani e salvi qualche giorno fa e in attesa di venire riassegnati alle proprie unità.

Tutti e cinque avevano imparato quelle poche parole sufficienti a persuadere gli italiani che lavoravano nel campo a portar dentro un po' alla volta degli indumenti, che avevano nascosto finché ciascuno di loro non era stato in condizione di vestirsi come un civile italiano. Gli italiani avevano agito così per puro buon cuore. Non solo avevano dato via degli abiti che sarebbero stati ben contenti di tenere per sé, ma nel farlo si erano anche esposti a un grossissimo rischio. I lavoratori, sia all'entrata che all'uscita dal campo, dovevano sottoporsi a una perquisizione sommaria e i loro pacchi venivano aperti, così l'unico modo per portar dentro quegli indumenti in eccesso era stato di metterseli addosso. Qualcuno era entrato con due paia di pantaloni o due camicie, qualcun altro si era infilato nella tasca della giacca un paio di ciabatte che aveva poi messo per uscire, lasciando le sue scarpe ai prigionieri inglesi. Quando tutto è stato pronto, i fuggiaschi si sono tranquillamente mescolati ai lavoratori italiani e sono usciti passando dal cancello. C'è stato un attimo di tensione, mi ha raccontato uno dei cinque, quando una guardia, non riconoscendo la sua faccia, lo aveva fermato. Ma la rassicurazione, formulata in un italiano incerto, che «Noi lavorare per voi» gli era bastata.

In seguito i cinque avevano percorso con calma i duecentocinquanta chilometri circa che li separavano dalle nostre linee. Il viaggio era stato affrontato nel modo più piacevole e rilassato, e senza tentare in alcun modo di nascondersi. Quando si erano trovati davanti i tedeschi, avevano continuato a camminare come se niente fosse, pronti a salutare, sorridere, lanciare grida d'incoraggiamento nel loro italiano approssimativo. Prima della cattura avevano assistito a una di quelle generiche lezioni della Security Force sul modo di affrontare situazioni del genere, e ora, entrando in un paese, mettevano a frutto la raccomandazione di non cercare mai aiuto o cibo nelle case dei notabili, ma di fare affidamento solo sui poveri, «perché non hanno niente da perdere». In realtà, da perdere avevano la vita, visto che i tedeschi concedevano a chi nascondeva prigionieri in fuga giusto il tempo per confessarsi, ma nessuno degli italiani che hanno aiutato i nostri cinque amici a tornare ci ha pensato su neppure per un attimo. Il viaggio era durato più di due settimane. Avevano proceduto molto a rilento perché uno dei cinque aveva un'infezione a un piede e poteva percorrere solo pochi chilometri al giorno. Quando avevano fame sceglievano in qualche strada di paese una casa modesta che sembrasse promettere bene, bussavano alla porta, spiegavano chi erano, e chiedevano da mangiare. Non è mai stato loro negato. Spesso dopo mangiato venivano ospitati per la notte e si dividevano tra i vicini. A volte erano stati invitati a fermarsi per tutto il tempo che volevano – in un caso, persino a stabilirsi lì e diventare membri della comunità. La gente insisteva perché accettassero del denaro. Nei paesi i vecchi li trattavano come figli, e i giovani come fratelli.

Nel campo di raccolta di Nola c'erano molti altri soldati che avevano avuto esperienze analoghe, e ho trascorso qualche ora parlando con loro. Fino a oggi non ho ancora sentito di un solo caso in cui soldati inglesi in fuga siano stati consegnati ai tedeschi. Questo rafforza l'impressione generale di civiltà e di fortissimo senso umanitario dei nostri ex nemici italiani. E dal momento che il senso umanitario è al di sopra delle parti, non ci sono dubbi che gli italiani siano altrettanto disponibili con quei tedeschi che chiedono loro aiuto in circostanze analoghe. Trovo dunque riprovevoli la collera o il desiderio di vendetta di cui diamo prova quando veniamo a conoscenza di casi in cui gli italiani mostrino anche solo compassione per i loro alleati di un tempo.

Di recente, il bollettino dello Psychological Warfare Bureau ha riportato il caso di alcune donne, vicino ad Avezzano, uscite dalle loro case per offrire un po' di vino a dei prigionieri tedeschi sotto scorta, che si stavano riposando durante un trasferimento. L'autore dell'articolo considerava il gesto una riprova dell'esistenza, nella zona, di pericolosi sentimenti filogermanici, ed era indignatissimo per l'incidente.

*14 aprile*

Questa settimana altri cinque accertamenti matrimoniali, uno dei quali merita di essere raccontato.

Ero andato a Santa Maria della Colombina per indagare su una certa contessa della Peruta, che voleva sposare un ufficiale inglese. Polizia e Carabinieri, per una volta, erano concordi nel fornire rapporti favorevoli. I vicini non avevano scandali seri di cui mormorare, così mi sono presentato alla contessa, la quale vive in un'enorme casa – o meglio, un castello – che domina il paese. Una servetta molto carina mi ha fatto entrare in una stanza arredata con arazzi e mobili d'antiquariato, un piacevole diversivo, dopo tutte quelle case di campagna italiane che, anche quando appartengono alle classi elevate, sono generalmente nude e austere.

Dopo avermi fatto aspettare un bel po', la contessa si è presentata, profondendosi in scuse e sorrisi. Anche per la media italiana è una donna stupenda, con tratti delicati e modi regali, vestita con sobria eleganza. Durante la nostra breve chiacchierata ha rivelato di possedere grande fascino e vivacità. Per la prima volta mi sono sorpreso a invidiare l'uomo in questione, e sono tornato al Comando per stendere un rapporto dai toni pressoché lirici.

Quattro giorni dopo – per una coincidenza del tutto fortuita – mi sono ritrovato a Santa Maria per un'indagine di routine. Mi è venuto in mente che, dopotutto, in paese c'era chi forse poteva aiutarmi, e sono tornato dalla contessa. Ho bussato alla porta per qualche minuto, e una vecchia tutta pelle e ossa mi ha fatto entrare nella grande stanza, che ora, completamente vuota, era quasi irriconoscibile. Ho dovuto aspettare parecchio prima che trovassero la contessa. Era sempre bellissima, ma aveva addosso un pullover qualsiasi e una gonna. È scoppiata in lacrime, e la verità è venuta a galla. La casa, disabitata, gliel'aveva prestata un vicino. Altri tre le avevano fornito il mobilio per quell'unica stanza. Altri ancora avevano racimolato i vestiti. Pur appartenendo a un'antica famiglia aristocratica, la contessa, di suo, non possiede nulla di più di qualsiasi altra ragazza povera del paese.

L'ho tranquillizzata, assicurandole che il rapporto era già stato completato, e che il matrimonio si sarebbe fatto quasi certamente. Uno dei bravi vicini è accorso col solito marsala. Si è brindato alla sposa e al fortunato sposo, poi ho proseguito per la mia strada.

*15 aprile*

Oggi, per la prima volta, un'aspirante sposa ha risposto in modo assolutamente franco alla domanda «Da dove viene il denaro?».

Era una ragazza pulita, carina, sorridente; a tradirla subito, nella cucina del suo appartamentino dietro via Chiaia, è stata una saponetta. Ai prezzi attuali del mercato nero vale una piccola fortuna, tanto che la maggior parte delle ragazze continua a pulirsi strofinando sulla pelle pomice e cenere. In una bottiglia sullo scaffale c'era un quarto di litro di olio d'oliva, e la presenza di questa merce, che in pratica non ha prezzo, ha trasformato i miei sospetti in certezze.

In tono pacato, e col sorriso sulle labbra, la ragazza mi ha rivelato che al suo sostentamento provvedono un maggiore italiano e un caporale americano. Ha aggiunto che la paga del caporale è dieci volte quella del maggiore, la cui presenza sembra tollerata non tanto come fonte di reddito, ma per buon cuore, dal momento che si tratta di un vecchio cliente in cattive acque di cui lei non ha il coraggio di sbarazzarsi.

Mi sono preso la briga di controllare le sue affermazioni, scoprendo che attualmente la paga di un maggiore italiano è di tremila lire al mese. Con la sterlina a quattrocento lire fanno sette sterline e dieci scellini. Già che c'ero, ho dato un'occhiata agli altri stipendi. Il questore di Napoli, il cui grado è equivalente a quello di un maggior generale, e che è in vetta alla gerarchia dei funzionari civili, viene pagato cinquemilacinquecento lire. All'estremo opposto, un portalettere ne prende quattrocentocinquanta. Ciò significa che un uomo che deve provvedere a una moglie e a una media di cinque figli, oltre alle due o tre persone anziane che, sempre di media, fanno parte di ogni famiglia italiana, è costretto a compiere il miracolo di dar da mangiare a tutti quanti con poco più di una sterlina al mese.

Gli italiani del Sud, come gli africani, vivono di pane e olio d'oliva. Oggi il pane che si compra al mercato nero, fatto con farina nera di cattiva qualità, costa centosessanta lire al chilo. A Londra con quattro scellini si comprano tante pagnotte quante con seicento lire al mercato nero di Napoli. L'olio d'oliva costa quattrocentocinquanta lire al litro, le uova trenta lire l'una, e il sale non si trova, a nessun prezzo.

Alla luce di questi dati, sembra incredibile che i napoletani abbiano la forza non dico di lavorare, ma di reggersi in piedi, e che anzi non li si veda morire di fame per la strada.

*18 aprile*

Il mercato nero è florido come non mai. Secondo il bollettino dello Psychological Warfare Bureau, il sessantacinque per cento del reddito pro capite dei napoletani deriva da traffici in forniture alleate rubate, e un terzo del vettovagliamento e dell'equipaggiamento che importiamo continua a venire inghiottito dal mercato nero. Ogni singolo articolo dell'equipaggiamento alleato viene messo in bella mostra al mercato di via Forcella, eccezion fatta per pistole e munizioni, che dicono si vendano sottobanco. È stato notato che all'apertura del San Carlo *tutte* le signore della media e alta borghesia indossavano cappotti fatti con coperte militari. Risalire da questi articoli a chi li ha rubati per primo sarebbe facilissimo. Quando ho suggerito all'FSO il modo per farlo mi sono sentito rispondere che il mercato nero non è affar nostro.

In realtà, ormai tutti sanno che il mercato nero opera sotto la protezione di alti funzionari dell'Allied Military Government. Chiunque si rende subito conto che, per quanti pesci piccoli si arrestino – e anche se ormai li si condanna a lunghe pene detentive –, la legge non riesce ad arrivare ai mandanti. Alla testa dell'AMG c'è il colonnello Charles Poletti, con cui lavora, in veste di consigliere, Vito Genovese, l'ex capo della mafia americana. Genovese è nato in un paese vicino a Napoli, ed è rimasto in stretto contatto con la malavita locale; è chiaro inoltre che molti dei sindaci mafiosi o camorristi insediati nei centri qui attorno sono uomini suoi. Questi fatti, che prima erano segreti di Stato, ora sono noti anche all'uomo della strada. Eppure non si fa nulla. Nonostante tutti i rapporti allarmanti sulle loro attività, gli alti funzionari dell'AMG rimangono dove sono.

La storiella più recente che circola a proposito di un «certo alto funzionario dell'AMG» riguarda il tiro giocatogli dalla moglie di un noto industriale. L'uomo era stato condannato a un anno per traffico di beni alleati rubati. La moglie è andata al Beacon, il miglior bordello di Napoli, e ha chiesto la ragazza più intelligente che avessero. Le ha fatto mettere i suoi vestiti più eleganti, le ha prestato i gioielli, e l'ha pagata quattromila lire perché andasse dal funzionario in questione facendosi passare per lei, e perorasse la causa della liberazione del marito. La visita è stata un successo, e due giorni dopo per l'industriale si sono aperti i cancelli di Poggioreale.

Quando racconti a un napoletano questa storia tipicamente napoletana, in genere il suo commento è: «Peccato che non gli abbia mandato una ragazza con la sifilide».

*24 aprile*

Ieri ho incontrato di nuovo Frazer, trovandolo bello e affaticato come non mai, e con le solite perplessità sulla storia d'amore con la signora Lola, la quale per parte sua ha smesso da tempo di consultarmi su questioni attinenti alla propria vita sentimentale. Ormai ha insegnato a Frazer a parlare un po' di quell'incantevole italiano farfugliato dei bambini napoletani, in cui tutti i verbi sono all'infinito e si dà del *tu* a chiunque, indipendentemente dall'età o dalla posizione sociale. Frazer aveva solennemente proclamato di aver rotto la relazione dopo la nostra gita a Capri e la scoperta dell'esistenza di un altro amante. Ora, dopo terribili scenate, recriminazioni, addii definitivi, e un finto suicidio da parte di Lola, sono di nuovo insieme, ma a condizioni che suonano, per Frazer, più gravose di prima. Lola ha accettato di far uscire per sempre dalla sua vita il direttore di banca, e di rinunciare alle iniezioni ricostituenti, e Frazer ha dettato la lettera con cui il suo rivale è stato messo alla porta. In cambio, ha acconsentito a regolarizzare la situazione. Lola è diventata ufficialmente la sua fidanzata, e lo ha costretto a comprarle un anello che gli è costato più di quanto potesse permettersi, sul quale è montato un diamante opaco, secondo lui sicuramente falso. È evidente che Frazer sta affondando nelle sabbie mobili di Napoli. Ha infatti soddisfatto senza opporre resistenza anche la pretesa successiva di Lola, e cioè di requisire, del tutto illegalmente, un appartamento vuoto nell'elegante rione Amedeo. Per riuscire, operazioni simili vanno condotte dando a vedere un'assoluta disinvoltura, mentre Frazer ha proceduto alla requisizione illegale in modo nervoso ed esitante, arrivando a rintracciare il proprietario dell'appartamento e a convincerlo ad accettare un piccolo affitto. Ora teme che il suo comportamento abbia destato i sospetti dell'uomo. A questo punto la fortunata coppia si è comodamente sistemata, ma Frazer ha confessato che ogni volta che bussano alla porta sente un tuffo al cuore, e andando ad aprire è assolutamente certo di trovarsi davanti qualcuno della Prefettura.

Adesso che sono fidanzati, Lola ha preteso un riconoscimento pubblico del suo status. Frazer ha dovuto dare una festa per gli italiani - molti dei quali ha scoperto essere grossi nomi del mercato nero, o funzionari fascisti di basso rango che Lola aveva conosciuto tramite il suo ex amante. Peggio ancora, ha dovuto darne un'altra per i colleghi ufficiali. È riuscito a non invitare il suo comandante, ma non ha potuto risparmiarsi l'aiutante maggiore, un ufficiale che detesta tutti gli stranieri - gli italiani in particolare - e che si è disinfettato prima e dopo la serata. Il pezzo forte della cerimonia, che ha avuto solo pochi momenti di allegria, era una gigantesca torta a forma di cuore con sopra i loro nomi scritti con la glassa, mentre altra glassa - stavolta vermiglia, a rappresentare il sangue - ne fuoriusciva a cascatelle. Lola lo ha anche costretto a farsi vedere con lei allo «struscio», la celebre passeggiata di Pasqua in via Roma, nella quale, secondo una tradizione le cui origini si perdono nella notte dei tempi, i partecipanti camminano strascicando i piedi. Essere visti in compagnia di una donna in questa circostanza equivale a dichiarare la serietà delle proprie intenzioni. Frazer si è di nuovo lamentato di alcuni aspetti dei loro rapporti intimi, dicendo che gli vengono richieste prestazioni che non lo entusiasmano troppo. «Credo di soffrire di bruciori di stomaco,» ha detto «ma sono sicuro che è solo un fatto psicologico». Sono riuscito a tirargli su il morale garantendogli che, anche se Lola lo convincesse a chiedere la licenza di matrimonio, ho motivo di ritenere che le possibilità di ottenerla sarebbero scarse.

*25 aprile*

Avendomi nominato il suo nuovo appartamento, Frazer si dev'essere sentito in obbligo di invitarmi, perché Lola è venuta a chiedermi di andare a cena da loro stasera. L'altro ospite si è rivelato essere l'irrefrenabile signorina Susanna, e le due donne, nei loro abiti da sera luccicanti e cariche di gioielli, riempivano di chiacchiere e di risate le stanze spoglie. L'arredamento era in gran parte raffazzonato. Tutti i mobili facilmente trasportabili erano stati rubati, e noi sedevamo su sgabelli forniti dal reparto logistico intorno a un enorme, pretenzioso tavolo, troppo pesante per i ladri. I vetri delle finestre si erano incrinati durante il violento bombardamento del 14 marzo, e sulle fenditure era stata appiccicata della carta marrone, che dava un tocco di squallore.

Frazer ha fatto un resoconto della festa di fidanzamento, che dev'essere stata un disastro. Pensando che non fosse il caso di servire cibo evidentemente sottratto alle nostre razioni, Lola si era arrangiata con quello che passava il mercato nero. Così, oltre alla famosa torta, agli ospiti era stato servito un piatto speziato a base di melanzane e trippa, indubbiamente delizioso, ma che non aveva incontrato il favore dei colleghi di Frazer. Uno di loro, un tenente, si era educatamente sforzato di mandarne giù un paio di bocconi, mentre l'aiutante maggiore aveva semplicemente fatto un verso di disgusto, allontanando da sé il piatto. Da qui in poi sembra che la festa sia andata a rotoli. Gli ufficiali si erano portati dietro il whisky, e in poco tempo l'aiutante, incattivito dalla sbronza, era arrivato a rimproverare alle ragazze l'avventura abissina di Mussolini e a inscenare una pantomima in cui dei soldati italiani fuggivano a gambe levate dal campo di battaglia. In risposta, Susanna gli aveva dato del cornuto e dello stronzo, due epiteti che lui non conosceva, ma di cui, dai gesti che li accompagnavano, doveva aver colto l'intento offensivo. Susanna si era quindi alzata da tavola seguita dal tenente, che, accecato dal desiderio, aveva tentato di bloccarla in un angolo della cucina, ricevendone per tutto compenso un graffio sul naso.

Stasera Frazer era riuscito a sottrarre un superbo taglio di manzo, che secondo lui Lola aveva rovinato praticandovi in più punti dei fori in cui aveva infilato spicchi d'aglio. Per le ragazze è stato un autentico banchetto: antipasto di bacon militare, uno squisito manzo al sangue infuocato d'aglio, i dolci delle razioni K americane – tanto disprezzati dagli americani quanto adorati da chiunque altro. Dopo il festino eravamo in cucina a lavare i piatti, quando ho sentito l'odore del fumo delle unità mobili nebbiogene: mi sono subito reso conto, con un tuffo al cuore, che stavamo per subire un altro bombardamento. In un attimo anche gli altri hanno capito quello che stava accadendo, perché la stanza si è riempita di fumo e abbiamo cominciato a tossire.

Gli inquilini del caseggiato avevano a disposizione un ricovero, ma Frazer ed io, per una questione di dignità, avremmo preferito non servircene. Le ragazze, d'altra parte, si rifiutavano di scendere senza di noi, ma prima che potessimo deciderci le bombe hanno cominciato a cadere. Per me è stato il bombardamento peggiore della guerra, fino a questo momento. Abbiamo afferrato le ragazze spingendole lontano dalle finestre, poi ci siamo messi in fila con la schiena contro il muro. Le finestre sono andate in pezzi, gli schermi per l'oscuramento si sono messi a svolazzare per la stanza come enormi pipistrelli, il soffitto della sala da pranzo è crollato sul grande tavolo in una cascata di polvere e pezzi di intonaco, e l'intero edificio ha cominciato a tremare e sussultare come scosso da un leggero terremoto. Dalle finestre abbiamo visto le scie dei traccianti balenare attraverso il fumo rosato. Ormai avevamo i capelli, la pelle e i vestiti coperti di polvere di calce. Nessuno parlava, e le ragazze non sembravano affatto spaventate.

Le bombe sganciate ad alta quota arrivavano con un sibilo, mentre l'ultima è caduta in silenzio, assordandoci un istante dopo. Ho sentito il palazzo sollevarsi e ricadere su se stesso, e i muri incrinarsi; poi l'udito è tornato, prima con il crepitio degli shrapnel che cadevano tutt'intorno, quindi, dopo un attimo di silenzio assoluto, col rombo lungo, lento, continuo della casa di fianco alla nostra che crollava.

Il bombardamento era finito. È suonato il cessato allarme e siamo scesi in strada. Mi sono accorto che parlavamo tutti come i bambini, a voce alta, senza far caso alle parole. La casa vicina si era appiattita in un doppio sandwich di piani compressi, ma credo che non ci abitasse nessuno. Più avanti, lungo la strada, abbiamo visto attraverso uno squarcio nel fumo un palazzo inclinato da una parte, come una nave sul punto di affondare, e più oltre ancora una jeep scaraventata in aria e rimasta appesa per le ruote anteriori a un cornicione. La scena ci ha fatto ridere.

Anche se in genere detesto i locali notturni, questa sembrava una di quelle occasioni in cui è assolutamente necessario andare da qualche parte a ballare. Abbiamo trovato un posto a Piedigrotta dove avevano una pianola che suonava solo quattro motivi, ma andava benissimo, e ci abbiamo passato il resto della serata.

*1° maggio*

Oggi l'arrivo dell'estate è stato annunciato dal grido del venditore di tende alla veneziana, che nel nostro vicolo aveva un suono triste, quasi angoscioso: «S'è 'nfocato 'o sole». Immediatamente, come in risposta a un segnale che tutta Napoli stesse aspettando, il ritmo della vita è cambiato, si è fatto più lento. Quando ha sentito, dapprima in lontananza, poi sempre più vicino, quel lamento malinconico, la gente è parsa sgattaiolare nell'ombra, e chi non lo aveva ancora fatto ha abbassato le sue tende. Sono spuntati i ventagli, le ragazze andavano in giro riparandosi gli occhi con la mano, e il contrabbandiere di sigarette appostato sotto la nostra finestra ha aperto un giornale comunista, e se lo è messo sul capo. Ci hanno detto che da oggi gli accalappiacani municipali sono autorizzati a catturare i randagi e abbatterli con un colpo in testa.

Si avvicina la Pentecoste – la Pasqua delle Rose, come la chiamano a Napoli. Per sabato le speranze e le aspettative di tutti sono per una liquefazione soddisfacente del sangue di san Gennaro. Ogni napoletano, quali che siano il suo credo politico e le sue convinzioni religiose, è certo che le fortune della città siano legate a questo fenomeno, e sui giornali sono comparse inserzioni pagate da ditte commerciali o da partiti politici che augurano alla cittadinanza «un felice e propizio miracolo». Perché un miracolo sia giudicato tale bisogna che il sangue si sciolga velocemente. Una liquefazione lenta viene ritenuta di cattivo auspicio per l'anno a venire, e il mancato miracolo, poi, eventualità molto rara, è visto come un segno dell'estremo disappunto del santo, e considerato una catastrofe.

Ora si viene a sapere che il pellegrinaggio di Pentecoste a Montevergine è stato espressamente vietato, suscitando un forte malcontento popolare, e più di una critica. Questo pellegrinaggio a quello che era anticamente il tempio di Cibele, vicino ad Avellino, si tiene da seicento anni, da quando Caterina di Valois offrì al santuario un'immagine miracolosa della Vergine, e i cinquantamila e più devoti del culto giudicano pericoloso sopprimere una consuetudine di tale importanza e valore spirituale solo perché c'è una guerra in corso. In questi giorni, di solito, i pellegrini raggiungono in macchina Avellino, da dove i più pii percorrono i pochi chilometri che rimangono a piedi nudi, e il tratto dalla porta del santuario all'altare strisciando sulle mani e sulle ginocchia. Una volta assolti i doveri religiosi si mangia, si beve e si fa baldoria. Poi si passa a improvvisare canzoni su argomenti di attualità. Spesso queste ultime, in un'atmosfera di ebbrezza insieme religiosa e alcolica, scatenano litigi, e per tradizione le parti lese vanno dietro la chiesa, coltello alla mano, per regolare i conti sul posto.

Della delusione popolare per il divieto del pellegrinaggio si è fatto portavoce Lattarullo, dicendo che, come molti altri, anche sua zia era sconvolta. Non avendo mai visto la zia, che pure dovrebbe vivere con lui, né notato nell'appartamento la minima traccia della sua presenza, comincio a sospettare che non esista, e che lui si serva di questo personaggio inventato di sana pianta per dar voce a tutte quelle superstizioni napoletane di cui finge di vergognarsi.

A eccezione del vassoio di Vittorio Emanuele, l'unico oggetto in tutto l'appartamento cui Lattarullo attribuisca una qualche importanza è una grossa pietra annerita. La prima volta che me l'ha mostrata la maneggiava con la cura più riverente. Era un ricordo della grotta di San Michele a Monte Sant'Angelo, e naturalmente non apparteneva a lui, ma alla misteriosa zia. Lattarullo è un uomo molto colto, con una visione cosmopolita e una profonda comprensione delle cose del mondo; legge tutto quello su cui riesce a mettere le mani, inclusi quindici o venti quotidiani al giorno – di tre o quattro giorni prima, però, dato che li compra ai mercati generali, dove se ne può fare incetta per due o tre lire al pacco. Per un uomo della sua statura intellettuale è difficile ammettere di credere che san Gennaro abbia il potere di fermare la lava del Vesuvio, o che un frate a Pomigliano se ne vada in giro svolazzando come un uccellino, così se la cava dicendo: «Mia zia, povera vecchia, crede a queste cose. Con lei non voglio mettermi a discutere. Le racconto a te solo per farti capire con che tipo di mentalità hai a che fare. Come nel caso di questa storia di Montevergine, ci tengo che tu lo sappia. Suggestione di massa? Sono d'accordo con te. Forse hai ragione. Ma ricordati che in questa città sono più quelli che la pensano come mia zia di quelli che la pensano come me».

*3 maggio*

Nella Zona di Camorra, come probabilmente in tutte le zone infestate da banditi, la tradizione dei

Robin Hood è molto forte, e un eccellente esemplare di quella genia è Domenico Lupo di Frattamaggiore, il cui successo professionale dev'essere stato favorito da quel nome. Lupo, giovane, bello e focoso era proprio uno di quelli che rubano ai ricchi per dare ai poveri, e stava scontando una condanna in una prigione a sud di Roma. Liberato dalle truppe alleate, che come prassi quando occupano un territorio ne saccheggiano gli uffici postali e spalancano i cancelli delle prigioni, Lupo si diresse immediatamente a sud per riorganizzare i suoi seguaci. L'ufficiale che lo aveva rilasciato, commosso dal racconto delle persecuzioni politiche da lui subite durante il regime di Mussolini, gli fornì un lasciapassare grazie al quale Lupo poteva andare dovunque volesse, e una lettera di raccomandazione nella quale si parlava del suo prezioso sostegno alla causa alleata. Lupo si presentò con la lettera al Comando dell'AMG di Napoli, in modo da ottenere credenziali ancora più solide, oltre a un adesivo dell'AMG per il parabrezza della sua auto rubata. Quindi cominciò a reclutare la sua nuova banda nella Zona di Camorra, che rigurgita di criminali di ogni genere, e sfruttando ampiamente il lasciapassare organizzò convogli di macchine rubate diretti ai campi di battaglia, dove venne raccolto un intero assortimento di armi leggere abbandonate, mitragliatrici, mortai, eccetera. Durante la sua ultima visita da quelle parti, in qualche punto vicino alla linea del fronte, Lupo sostiene di essere stato ricevuto da un generale di divisione americano, che dopo aver ascoltato la storia della sua lotta contro il fascismo gli ha regalato alcune bottiglie di whisky, una pistola col calcio di madreperla e un quadro di soggetto sacro proveniente da una chiesa distrutta.

Tornato nella Zona, Lupo cominciò a rapinare le carovane del mercato nero che seguivano l'esercito dei liberatori alla ricerca di tettarelle per biberon, vestiti, chiodi e orologi, tutte merci difficili da trovare e molto richieste, che a Napoli si vendono da dieci a cento volte il loro prezzo reale. In seguito, la banda era passata ad assaltare i treni che trasportavano rifornimenti militari verso nord e attraversavano Casoria diretti a Caserta e al fronte. In molti casi i treni, in genere difesi da non più di una mezza dozzina di guardie, erano stati completamente svuotati del loro carico. Una volta, dalle parti di Casoria, la banda di Lupo aveva combattuto a colpi di mitragliatrice e di bombe a mano una battaglia vittoriosa per il diritto al saccheggio di un treno, caduto in mano di un gruppo rivale.

A questo punto, ovviamente, bisognava fare qualcosa. Lupo traeva la sua forza dalle simpatie che si era attentamente coltivato tra i contadini del posto, da certe sue abitudini ben pubblicizzate, come bussare alla porta di famiglie povere o di vedove bisognose portando con sé una manciata di banconote da mille lire o un sacco di viveri rubati, e dalla sua fama romantica di donnaiolo. Però aveva anche qualche punto debole: era uno spaccone vanitoso e temerario, e senza agganci con la camorra, che disprezza i banditi, anche se li sfrutta; i suoi uomini avevano ucciso dei poliziotti; infine, con gli assalti ai treni, aveva passato il segno persino con gli Alleati.

La sua cattura è stata organizzata da una provvisoria coalizione di tutte le forze di polizia presenti nella zona. Per una volta Polizia e Carabinieri, sospendendo la reciproca ostilità, sono riusciti a mettersi d'accordo, riunire le informazioni in loro possesso, ed elaborare una strategia d'attacco. Lo Scalzo mi ha spiegato che un maresciallo dei Carabinieri aveva messo a punto un piano teso a sfruttare la breccia fatalmente aperta nelle difese di Lupo dalle sue pose di dongiovanni. Il bandito si vantava di avere una ragazza in ogni città della zona, ma aveva anche un'amante ufficiale, notoriamente gelosa. Ogni volta che Lupo si trovava nei dintorni di Caivano la ragazza spariva, così si credeva, per passare la notte con lui, ma nessuno era riuscito a scoprire il luogo di ritrovo della coppia. Tuttavia, adesso la ragazza era stata avvicinata, e nella speranza di portarla, alla fine, a tradire, avevano cominciato a lavorarsela con l'aiuto di alcune fotografie scattate a Lupo in compagnia di altre femmine. Per il bandito farsi fotografare era una vera passione, e alcune immagini erano quindi sostanzialmente autentiche. In altri casi si trattava di falsi ben confezionati, e ne ho vista una che – grazie a un abile fotomontaggio – ritraeva Lupo con braccia e gambe avvinte a una prostituta nuda. La polizia napoletana non si ferma davanti a nulla. Ho visto anche una foto della ragazza di Lupo, una Carmen Miranda in versione dimessa, scura in volto e imbronciata, con gli angoli della bocca all'ingiù.

Questi loschi segreti professionali mi sono stati rivelati confidando in un mio rapporto favorevole sulla determinazione e lo zelo della Polizia, che dovrebbe impedire al Generale di mettere in atto le sue terribili minacce di rimuovere dal grado i responsabili o persino di intentare procedimenti penali a loro carico. Quando il piano è stato reso noto, il maresciallo Lo Scalzo ha detto che non era più questione di sapere *se*, ma *quando* Lupo sarebbe stato preso. Era anche ansioso che io presenziassi all'uccisione, in modo da constatare di persona come, dopotutto, i Carabinieri non fossero da meno di quel Lupo che si riteneva invincibile. Ieri sera un giovane poliziotto è venuto alla Riviera di Chiaia per chiedermi di andare all'alba al commissariato di Polizia di Caivano.

Stamattina, intorno alle quattro, ho lasciato il Comando sulla mia Matchless, e mezz'ora dopo, quando ho raggiunto Caivano, il sole non era ancora sorto. Mi ha sorpreso vedere l'attività sulle strade una volta usciti da Napoli: centinaia di contadini, avvolti nella semioscurità, si trascinavano verso i loro campi, sollevando la polvere con i piedi. Alcuni cantavano, e i loro canti dalle sonorità africane erano diversissimi dalle dolci, zuccherose melodie dei napoletani di città.

A Caivano ho trovato un assembramento di rappresentanti di entrambe le armi, alcuni con facce umane, altri diaboliche. Mentre venivano distribuite pistole obsolete e le spaventose, inaffidabili bombe a mano dette *diavolo rosso*, in dotazione all'esercito italiano, nella caserma dei Carabinieri risuonavano risatacce sinistre e battute sulla morte. Poi, stipati su due vecchie Fiat scassate, ci siamo messi in moto. Per scongiurare la possibilità che Lupo potesse venire avvertito del nostro arrivo da una delle sue spie, siamo usciti da Caivano in direzione di Afragola, che si trova dalla parte opposta. Quindi abbiamo tracciato un semicerchio su un paesaggio piatto come l'Olanda, puntando sulla fattoria subito fuori dalla strada per Frattamaggiore dove si sarebbe compiuto il tradimento finale, e dove c'era da sperare che gli amanti stessero ancora dormendo in pace.

In quel paesaggio era facile nascondersi. Ogni campo era circondato da alti alberi da frutto, collegati l'uno all'altro dai tralci di enormi e antichi vitigni ai quali ognuno di essi, come dicono qui, è «sposato»; i rami reggevano fili paralleli, uno sopra all'altro, a formare una specie di schermo, o di recinto, alto circa cinque metri.

Il nostro obiettivo era una fattoria che si trovava per l'appunto al centro di uno di questi campi chiusi da vigneti; un cubo grigio, a malapena visibile attraverso il fogliame. Qui stava acquattata una spia della Polizia con il compito di confermarci che tutto stesse andando secondo i piani e che nessuno fosse uscito dalla casa. Abbiamo lasciato le macchine al riparo dei vigneti, e siamo partiti all'attacco.

Il granturco ci arrivava al petto, ma dall'unica finestra che si apriva nel muro grigio avrebbero potuto vederci, e il commissario, sbuffando e ansimando al mio fianco nel suo abito da città, teneva una granata a portata di mano. Una metà del gruppo si è staccata per prendere la casa dal retro. È uscito un cane lupo, ma se l'è data a gambe non appena qualcuno gli ha puntato contro la pistola. Un carabiniere ha cominciato a prendere a calci la porta. Abbiamo sentito uno sparo isolato, e poi forti grida provenienti dal retro della casa.

Qui abbiamo trovato Lupo steso a terra. Aveva addosso solo una camicia. Era saltato dalla finestra della stanza da letto, che dava sul retro, rompendosi una gamba; a giudicare dalle condizioni della faccia, quasi certamente lo avevano colpito col calcio di un fucile. Un occhio si stava chiudendo, e l'altro era sbarrato su di noi. Il sangue che gli colava dal naso e dalla bocca aveva riempito i profondi solchi del viso, e la sua espressione era impassibile.

Qualche attimo dopo uno dei carabinieri ha spinto fuori una donna. Era scalza, con gli abiti in disordine, un'espressione torpida e frastornata, e d'aspetto così ordinario da sembrare brutta.

«Ecco la donna» ha detto Lo Scalzo.

«Sono un po' duri con lei, non trova?» gli ho chiesto.

«Ha abbandonato il suo uomo. Sono cose che non ci piacciono».

«Ma lavorava per voi».

«Questo non significa che debba piacerci».

«Cosa ne sarà di loro, adesso?».

«Lui sarà condannato all'ergastolo, e uno dei suoi fratelli ucciderà la ragazza. Non ci metteranno molto a scoprire che è stata lei a incastrarlo. Un coltello su per la vagina, fino nella pancia. O un attizzatoio rovente, se hanno tempo. Entro l'anno è morta».

*7 maggio*

A dispetto delle fosche previsioni, ieri sera il sangue di san Gennaro si è liquefatto. Il miracolo si è avverato lentamente, controvoglia. Per tradizione, questo è ritenuto d'incerto auspicio per l'anno a venire, e ai napoletani è rimasta una sensazione di mesto sollievo, non molto di più. Si stenta a crederlo, ma un fallimento totale avrebbe potuto provocare una crisi per la sicurezza, e allora avremmo dovuto vedercela con tumulti popolari su larga scala.

Fin da venerdì sera, nei dintorni del Duomo aveva cominciato a radunarsi una folla di cui si percepiva immediatamente il pesante silenzio. Già sabato pomeriggio si è manifestato qualche nervosismo, con sacche d'isteria qua e là. Il sentimento popolare era di tesa inquietudine mista ad apprensione. Tutti i pescherecci in porto, negozi e caffè deserti. La gente non faceva altro che bighellonare per le strade, in attesa. Era come l'oscura parodia di un giorno di festa. Le due donne che lavorano da noi hanno sbrigato le faccende il più in fretta possibile, e sono uscite per accendere le candele all'altare del santo qui vicino, in vico Freddo. Lattarullo ha dato voce ai sentimenti della borghesia colta: «Per quanto deplori che, in pieno XX secolo, noi si sia ancora ossessionati da questi residui di Medioevo, neppure io, temo, sono immune dalla suggestione di massa».

Verso le cinque del pomeriggio, nelle stradine dietro al Duomo sono cominciati i disordini. Qualche vetrina è andata in frantumi, e gli MP si sono diretti in forze nella zona. Un'ora dopo mi è stato impossibile passare per via dei Tribunali. La gente, come in trance, correva parossisticamente su e giù, con la bava alla bocca, profetizzando sventura. Pareva di trovarsi in mezzo a una folla di tifosi scalmanati, come impazziti all'idea dell'imminente sconfitta della propria squadra. Si diceva che nella cattedrale fosse scoppiato un tumulto perché molte sedie vicino all'altare erano state riservate a ufficiali inglesi e americani, e la folla sospettava che la loro presenza avrebbe potuto impedire il miracolo. C'erano state grida di «Fuori gli eretici», che i militari ospiti probabilmente non avevano capito, anche se qualcuno doveva aver notato i pugni agitati nella loro direzione.

Subito dopo quest'incidente erano state fatte entrare le «parenti di san Gennaro», che avevano preso posto intorno all'altare. Queste donne anziane, che nella credenza popolare sono vere discendenti del santo, formano una cricca avvolta dal mistero e influente sul piano spirituale, che ha per diritto ereditario il potere e il compito, qualora ogni altro mezzo fallisca, di ridurre a più miti consigli l'antenato con minacce e maledizioni.

Intorno alle otto il santo ha ceduto a questa nuova pressione, e il miracolo si è avverato. Ne è seguita qualche manifestazione di esultanza, ma in tono minore, e la maggior parte della gente se ne è semplicemente andata a dormire. Una liquefazione stentata è pur sempre meglio di niente, è stato il verdetto generale. In settembre dovremo affrontare daccapo tutto questo.

*8 maggio*

Un esempio vergognoso della perfidia e delle ingiustizie della guerra che conduciamo dietro le quinte. Il Generale non è riuscito a mandar giù l'episodio dello scontro a fuoco tra le due bande rivali per il diritto al saccheggio di uno dei nostri treni, e neppure la notizia della cattura del bandito Lupo lo ha ammansito. Un uomo non basta. Vuole arresti di massa, e ieri ha convocato tutti i comandanti della Polizia italiana minacciandoli, nel caso non riuscissero a ottenere risultati immediati, di sanzioni di ogni tipo, accuse di sabotaggio incluse. I comandanti hanno risposto, a quanto si dice, di essere terribilmente a corto di uomini, e di avere le mani legate dagli eccessivi scrupoli degli Alleati in materia di repressione. Solo se gli fosse stata data mano libera per sistemare la faccenda a modo loro avrebbero potuto garantire qualche risultato. Così, oggi ho partecipato in qualità di osservatore a una delle operazioni del nuovo corso, un'incursione nei covi dei banditi condotta da una forza mista di Carabinieri e Polizia con l'ordine di ottenere risultati a qualsiasi costo.

Stavolta le forze riunite assommavano a circa cinquanta uomini, ma ne facevano parte gli stessi carabinieri e lo stesso commissario faccia-di-iena di Frattamaggiore, col suo gessato, le sue bombe a mano, le sue scarpe scricchiolanti. I campi in cui ci siamo inoltrati, disegnando un ampio cerchio che andava lentamente restringendosi, erano, come l'altra volta, cintati dalle loro enormi vigne, con i piccoli cubi grigi delle case e, di tanto in tanto, i capanni di paglia dove i contadini tengono gli attrezzi e schiacciano un pisolino all'ombra nelle ore più calde. In uno di questi sono stati scoperti quattro uomini armati. Si sono immediatamente arresi, sono stati ammanettati, incatenati l'uno all'altro e portati via. Ma ora sorgeva un problema. Erano stati fatti solo quattro prigionieri, e un uomo non può essere accusato di banditismo se non fa parte di un'associazione criminosa composta da almeno cinque persone. Stando così le cose, i quattro fermati, che a termini di legge non erano banditi, avrebbero potuto richiedere la libertà provvisoria, con la quasi certezza di ottenerla. In questo paese ci sono cinquanta avvocati per ogni poliziotto, e i primi in genere la spuntano. Un bandito, invece, non ottiene la libertà provvisoria, e di solito si becca da cinque a trent'anni di galera.

In questo caso la soluzione è consistita nell'andare dritti al paese più vicino, a casa di un tale che aveva precedenti penali, e arrestarlo. Ecco l'indispensabile quinto bandito. La sua rassegnazione era sorprendente. Ha baciato i familiari e si è lasciato incatenare e portar via senza proteste. Lo attendeva la cella d'isolamento nel ventre di ferro di Poggioreale. Poi un lungo, lento logorio del corpo e dello spirito nell'isola di Procida, della quale non si conosce altro che qualche agghiacciante leggenda. Quando, e se, tornerà al paese, i suoi figli se ne saranno andati e la moglie sarà ormai vecchia. Sarebbe stato molto meglio, molto più umano, ucciderli semplicemente tutti e cinque «mentre tentavano di fuggire».

*9 maggio*

La sfacciataggine del mercato nero lascia senza fiato. Da mesi le fonti ufficiali ci assicurano che l'equivalente di un carico su tre fra quelli che le navi alleate scaricano nel porto di Napoli viene rubato. Circola negli ultimi tempi la storia che quando è in programma un colpo in grande stile, e c'è bisogno di sgombrare il porto per manovrare grossi carichi, qualcuno fa in modo che suonino le sirene dell'allarme aereo, ed entrino così in funzione le unità mobili nebbiogene, al riparo delle quali le squadre d'assalto del mercato nero si mettono al lavoro.

La merce rubata che si vende in via Forcella e nei dintorni dei tribunali – dove ogni giorno i ladri che lavorano in proprio, senza protezioni, vengono processati e condannati a dozzine per possesso di beni alleati – viene ora esposta senza ritegno, anzi presentata con cura, tra nastri variopinti, vasi di fiori, cartelli scritti in bella calligrafia che reclamizzano la qualità dei prodotti rubati. PREZZI IMBATTI-

BILI... PURA LANA AUSTRALIANA GARANTITA... SI RESTRINGE? SOLDI RESTITUITI... CON QUESTE MERAVIGLIOSE SCARPE D'IMPORTAZIONE PUOI MARCIARE IN ETERNO... SE NON VEDI GLI ARTICOLI D'OLTREMARE CHE STAI CERCANDO, CHIEDILI, E TE LI PROCUREREMO. I sarti di tutta Napoli disfano le divise, ne tingono la stoffa e le trasformano in nuovi eleganti modelli di abiti civili. Ho sentito dire che persino i mutandoni dell'esercito inglese, che a dispetto del clima continuano a mandarci, hanno un grande successo, tinti di rosso, e trasformati in abiti da lavoro.

Nei primi giorni gli MP avevano fatto qualche incerto tentativo di perquisire alcune persone che si stavano specializzando in questo tipo di modifiche, ma erano saltati fuori un po' troppi soprabiti nuovi di buon taglio ricavati da coperte canadesi in attesa di essere ritirati da amici italiani del generale tale o del colonnello talaltro per poter metter fine alla cosa. La settimana scorsa hanno trovato un treno di pneumatici rubati nella macchina del nunzio apostolico, fermata per puro caso a un normale posto di blocco. Molte scuse e sorrisi, e Sua Eminenza è stato fatto passare. Sulle bancarelle non espongono armi rubate, tranne pugnali da commando o baionette, ma secondo i miei contatti avendo disponibilità di liquidi si può trovare qualsiasi cosa, dalle mitragliatrici ai carri armati leggeri.

Ora, il guaio è che nell'esercito scarseggiano proprio alcuni di quegli articoli che si possono comprare liberamente e facilmente al mercato nero. È il caso, in questo momento, dell'attrezzatura e del materiale fotografico, rubati praticamente in blocco per essere venduti sottobanco nei negozi di via Roma, e di alcuni medicinali, la penicillina in particolare. Mentre le scorte degli ospedali militari stanno per esaurirsi, qualsiasi malato civile può andare da un farmacista e farsi dare un ciclo completo di iniezioni. Alla fine è venuto il momento in cui gli effetti del mercato nero sullo sforzo bellico si fanno sentire. Potevamo spazzarlo via, ma poiché vi erano segretamente coinvolte, attraverso i loro contatti italiani, alcune nostre alte autorità, non lo abbiamo fatto. Adesso si è giunti alla decisione che bisognerà in qualche modo intervenire. Ormai è troppo tardi per abolire il mercato nero, ma se non altro si proverà a tenerlo sotto controllo. Probabilmente questa è la ragione per cui oggi l'FSO è venuto da me, ordinandomi di indagare sul traffico della penicillina.

La prima mossa è stata quella di andare a trovare il farmacista Casana, col quale siamo in ottimi rapporti, e chiedergli, in via strettamente confidenziale, da dove venisse la sua penicillina. Un po' impaurito, ma rassegnato, Casana mi ha fatto il nome di un certo Vittorio Fortuna, che abita in via dei Mille, avvertendomi però che se fosse stato chiamato a testimoniare contro di lui probabilmente ci avrebbe rimesso la pelle. Ho controllato il nome con altri farmacisti: tutti sapevano di Fortuna e tutti, pur negando qualsiasi collegamento con lui, hanno ammesso che è un noto trafficante di penicillina. Secondo tutti loro è protetto da qualcuno dell'Allied Military Government. Sentito questo, ho deciso che la miglior cosa da farsi fosse andare al Counter-Intelligence Corps americano che, a differenza nostra, è in buoni rapporti con l'AMG.

Anche se a Napoli svolgiamo più o meno la stessa funzione, e benché loro si siano di recente trasferiti nel nostro palazzo, al piano di sopra, tra noi e il CIC non c'è mai stato alcun contatto ufficiale. In questo momento i loro effettivi ammontano a circa venticinque agenti e un ufficiale. Chi ha avuto la fortuna di dare una sbirciatina al CIC dice che hanno il miglior sistema di schedatura in tutta Italia, ma il loro grosso limite sta nel fatto che nessuno di loro sa una parola di italiano, e dipendono quindi in tutto e per tutto da un interprete che qualche tempo fa compariva nella nostra lista di sospetti. Le due organizzazioni, che spesso lavorano sugli stessi casi ciascuna per proprio conto e senza scambiarsi informazioni, si sovrappongono di continuo, e a volte entrano in conflitto, così che con una certa frequenza noi arrestiamo i loro amici, loro mettono fuori i nostri sospetti, e viceversa, pestandoci i piedi a vicenda in quella che si potrebbe definire una coesistenza pacifica.

La nostra unica forma di collaborazione con il CIC è l'accordo in base al quale, quando andiamo fuori in permesso, prendiamo in prestito le loro jeep in cambio di una bottiglia di whisky, che inspiegabilmente è il solo genere di lusso o di conforto che non venga fornito ai soldati americani, altrimenti accontentati in tutto. Per discutere la faccenda di Fortuna mi sono rivolto alla mia controparte abituale nello scambio whisky-jeep, l'agente speciale Frank Edwards.

Edwards mi ha spiegato come al CIC sia risaputo che Fortuna è un luogotenente di Vito Genovese – della cui storia mi ha fornito una ricostruzione per sommi capi. Secondo Edwards, Genovese non solo non è stato il segretario di Al Capone, a differenza di quanto si dice nei nostri dossier, ma non è neppure siciliano, essendo nato nel paese di Ricigliano, vicino a Potenza. Genovese era il numero due della «famiglia» newyorkese di Lucky Luciano, poi, quando Luciano finì in carcere, ne prese il posto, diventando il capo riconosciuto di tutta la mafia americana. Poco prima dello scoppio della guerra, per sottrarsi a un'accusa di omicidio negli Stati Uniti, Genovese rientrò in Italia, e divenne amico di Mussolini. In seguito alla caduta del Duce passò al servizio dell'Allied Military Government, del quale ora si dice regga segretamente le fila. Genovese controlla quasi tutti i sindaci dei centri che si trovano nel raggio di un'ottantina di chilometri da Napoli. Affida la riscossione del pizzo ai suoi uomini, incassa una percentuale su tutto, getta le briciole a quelli che stanno dalla sua parte, e ha trovato il sistema di punire chi gli si mette contro.

Che cosa si poteva fare? Secondo Edwards, niente. Il CIC ha imparato in fretta a tenersi alla larga da qualsiasi affare in cui ci sia lo zampino di Genovese – e cioè quasi tutti. Troppi ufficiali americani sono stati scelti per partecipare alla campagna d'Italia in ragione delle loro origini italiane. La speranza era che si sarebbero adattati senza difficoltà all'ambiente, e infatti ci sono riusciti fin troppo bene. Gli italoamericani tenevano saldamente in pugno l'AMG, e di fronte alle minacce esterne sapevano serrare i ranghi. Un agente americano del CIC aveva intuito che il famoso Genovese controllava in pratica tutta Napoli e aveva cominciato a indagare sulle sue attività, ma si era presto ritrovato isolato e impotente, e con una mancata promozione come ricompensa per il disturbo. Qualsiasi inglese che minacci gli interessi di Genovese andrebbe incontro allo stesso destino? Edwards non me lo ha saputo dire, e mi ha suggerito di provare. Gli sarebbe piaciuto molto vedere come andava a finire.

L'Allied Military Proclamation, nell'una o nell'altra delle sue numerose clausole, sembra autorizzare in pratica il ricorso a qualsiasi misura contro chi, per usare le parole del documento, «commetta azioni che pregiudichino l'ordine, la difesa o la sicurezza delle forze alleate». Prima di andare da Fortuna me ne sono messo in tasca una copia. Fortuna è un bell'uomo, calmo, con una medaglietta sacra che gli penzola nell'apertura della camicia, un sorriso un po' studiato ma accattivante, e modi curiosamente compiti, sfociati in un «mamma mia!» quando gli ho esposto le ragioni della mia visita. Mi dava sui nervi perché mi si rivolgeva come se fossi un bambino, usando i verbi all'infinito e parlando con lentezza e chiarezza eccessive. Quando mostrandogli il proclama gli ho detto che avrei perquisito il suo appartamento, ha sorriso, scrollato le spalle, e mi ha invitato a procedere. La perquisizione ha richiesto un'ora buona. Ho passato metodicamente in rassegna tutte le stanze, senza scoprire nient'altro che una serie di articoli di borsa nera, gli stessi che ci si aspetterebbe di trovare in qualsiasi appartamento come il suo. Ho frugato in ogni angolo, esaminato i listelli del pavimento, battuto sui muri, ispezionato la cisterna, smontato una grande e antiquata stufa a gas e alla fine, in un cestino della carta straccia sotto il lavandino della cucina, ho trovato un cartone vuoto di penicillina, e una fiala difettosa.

Mostrando la penicillina a Fortuna, gli ho detto che stavo per arrestarlo e lui, in tono perfettamente disteso e cordiale, mi ha risposto: «Non servirà a niente. Chi sei tu? Non sei nessuno. Ieri sera ero a cena con un colonnello. Se sei stanco della vita di Napoli, posso farti trasferire».

Nel tragitto verso Poggioreale, Fortuna non ha cambiato umore, anzi è diventato ciarliero e affabile. Gli avrebbero tagliato i capelli? Avrebbe dovuto indossare l'uniforme del carcere? Non prima del processo, del verdetto di colpevolezza e della condanna, gli ho risposto. Quando lo avrei interrogato? Appena avessi avuto un attimo di tempo, ma poteva esserci qualche piccolo ritardo dovuto al sovraccarico di lavoro. E nel frattempo? Nel frattempo sarebbe rimasto a Poggioreale, dove non gli avrebbero torto un capello. L'ho consegnato a quel secondino mezzo matto, il mago delle chiavi, che ha preso le impronte digitali e registrato il suo ingresso in carcere, e gli ho detto che ci saremmo rivisti entro due o tre giorni. Si è messo a ridere e mi ha risposto «Quando torni non mi troverai più qui».

*11 maggio*

A Poggioreale per vedere Fortuna, che ho trovato vispo e imperturbabile come sempre. Era alle prese con un pasto che aveva tutta l'aria di essere eccellente e preparato apposta per lui, e mi ha cortesemente invitato a tenergli compagnia. Dava l'impressione di un uomo sorretto dalla segreta conoscenza di come sarebbero probabilmente andate a finire le cose. Gli ho detto che avevo talmente poco tempo da non potergli concedere più di dieci minuti, e che se riteneva di avere qualcosa da dire, questo era il momento di farlo, perché non sapevo con certezza quando sarei potuto tornare. Mi ha chiesto cosa volevo da lui, e gli ho risposto di fornirmi tutti i dettagli del traffico della penicillina, inclusi i nomi delle persone coinvolte, e in particolare di quelle al servizio dell'AMG. Al processo si sarebbe tenuto conto di qualsiasi forma di collaborazione da parte sua. La risposta di Fortuna è stata: «Che io parli o no non fa alcuna differenza. Verrò assolto comunque».

La cosa, ho dovuto ammettere fra me e me, era molto probabile. Abbiamo riempito la prigione di poveracci come quel mezzo matto di Antonio Priore, condannati a lunghe pene detentive per reati di poco conto, mentre i pesci grossi – Signorini, De Amicis, Del Blasio, Castronuovo, e tutti gli altri – ne sono usciti indenni. I testimoni sono svaniti nel nulla, oppure hanno ritrattato le loro deposizioni. Hanno giurato il falso in tribunale, e sono finiti dentro per falsa testimonianza senza fare una piega. Spesso l'accusa ha ingarbugliato il caso, e ogni volta, accidentalmente o per un preciso disegno, sono scomparsi documenti fondamentali. Sappiamo dagli informatori di almeno un caso in cui a uno dei nostri giudici, durante una cena, è stata offerta una grossa somma per assolvere qualcuno sotto processo. Non sapremo mai se quel giudice ha accettato o meno, ma l'imputato è stato ritenuto non colpevole. Questi imputati potenti e con buone aderenze vengono tutti assolti, mentre le celle di Poggioreale e di Procida rigurgitano di piccoli ricettatori e di ladruncoli, che marciranno lì per il resto dei loro giorni. Giustizia non è stata fatta, mai: e se c'è un posto dove è in vendita, questo posto è Napoli. Se la difesa può permettersi Lelio Porzio, il miglior penalista italiano, l'assoluzione è garantita. Per difendere un certo cliente, Porzio ha tenuto un'arringa durata due giorni e mezzo, infarcita di citazioni da Browning e da Shakespeare; a un certo punto si è reso necessario sospendere il procedimento, per dar modo al giudice e alla giuria di riacquistare il controllo delle proprie emozioni. Farsi difendere da Porzio costa una fortuna, ma non risulta abbia mai perso una causa.

Non c'era dubbio che sarebbe stato proprio Porzio a difendere Fortuna, ammesso che il caso fosse mai arrivato in tribunale, come era certo che per il momento non avevo testimoni sicuri, anche se speravo di procurarmene uno. Mi serviva un po' di tempo, e intanto era essenziale che Fortuna venisse custodito in un posto dove gli sarebbe quanto meno riuscito difficile tentare di piegare la legge al suo volere, intimidire i possibili testimoni e chiamare in aiuto i suoi amici dell'AMG. Per intaccare la sua incrollabile certezza di venire tirato fuori entro pochi giorni gli ho raccontato a mo' di storiella un'assoluta verità, e cioè che il caos endemico dell'amministrazione carceraria è tale che i prigionieri vanno smarriti, e gli ho citato – cambiando i nomi – il caso di due detenuti prelevati nel cuore della notte, imbarcati su una nave ormeggiata in porto e condotti a Tripoli, dal cui carcere si pensava fossero evasi. La storiella, nelle intenzioni, avrebbe dovuto suggerirgli che era sempre possibile che qualcosa del genere capitasse anche a lui. Ma io sapevo che non era così, e che Fortuna non è il tipo d'uomo da cader vittima di un disguido burocratico. Stavo tentando un piccolo bluff, senza troppe speranze di successo. Contavo di spingerlo a credere che i miei poteri fossero estesi e misteriosi quanto quelli degli uomini con cui era abituato a trattare, e che questo lo riducesse a più miti consigli. È parso colpito, ma continuava a non avere nulla di interessante da dire. Ho quindi concluso dicendo che speravo ci saremmo rivisti entro una settimana, e sono tornato da Casana.

Anche se nulla, come prevedevo, avrebbe potuto indurlo a tornare sulla sua decisione di non deporre contro Fortuna, Casana mi ha detto di aver sentito di qualcuno disposto a farlo dietro compenso: un certo dottor Lanza, rivale in affari di Fortuna. Casana non poteva approvare Lanza, che mi ha fatto notare essere un uomo del Nord, quindi del tutto indifferente alle questioni d'onore.

Ho trovato il dottor Lanza nella sua clinica, che odora non solo di etere ma anche di successo. Il dottore ha una bella Lancia parcheggiata fuori, con l'adesivo dell'AMG sul parabrezza, e mi ha mostrato lettere affettuose e raccomandazioni di una mezza dozzina di colonnelli, oltre a lasciapassare che lo autorizzavano a recarsi, entro limiti ragionevoli, ovunque. Aveva una proposta assolutamente franca e diretta da farmi. In cambio della sua testimonianza contro Fortuna, il quale gli aveva venduto penicillina che lui solo in seguito aveva scoperto essere rubata, voleva che gli promettessimo solennemente di trovare il modo di portarlo a Roma appena la città fosse caduta. Lanza ha confessato, come si trattasse di un atto di carità cristiana, che lo scopo del suo viaggio era riempire la macchina di prodotti farmaceutici e di altro tipo comprati a un cinquantesimo del prezzo attualmente praticato a Napoli. Gli ho risposto che un accordo del genere poteva essere preso in considerazione. Tenuto conto che difficilmente potrebbero far sparire uno come Lanza, o costringerlo a ritrattare, sembrava un prezzo modesto in cambio di una sicura vittoria.

Di nuovo a Poggioreale, confidando in un cedimento di Fortuna. Ormai ero sicuro che Lanza avrebbe testimoniato, e che sarebbe stato un ottimo testimone. Gli avevo infatti scoperto un altro movente, oltre a quello commerciale, e cioè una faida da lunga data in corso tra i due uomini. Nonostante ciò, il mio ottimismo andava diminuendo. Mi è tornato in mente il fatto poco promettente notato durante il nostro ultimo colloquio, e cioè che Fortuna aveva una cella tutta sua, mentre la prigione era talmente affollata che nelle altre venivano tenuti sei, o anche otto prigionieri. La sua sembrava in ordine, il che mi aveva fatto pensare che pagasse un altro prigioniero per occuparsene. Di fatto, veniva trattato come una persona di riguardo. In un posto come Poggioreale può accadere di tutto. È un mondo misterioso, di cui non sappiamo nulla con certezza, ma a proposito del quale circolano le voci più incredibili. Si sente di detenuti regolarmente registrati che passano il fine settimana a Capri, di bei nomi dell'aristocrazia malavitosa – uno dei quali potrebbe essere Fortuna – che nel giorno del proprio onomastico organizzano in cella festini a base di champagne per gli amici intimi e per le signore della città; di visite alla famiglia, e del tradizionale scambio di regali a Natale, all'Epifania e a Pasqua. Se è vero che a Napoli tutto ha un prezzo, quanto più vero questo dev'essere a Poggioreale.

All'Ufficio Matricola mi aspettava un messaggio del direttore, che voleva vedermi. Mentre mi recavo da lui ho visto quel sergente capo americano che credevo fosse stato rimosso dalla carica di consigliere del direttore per aver venduto forniture della prigione. Era seduto in anticamera, ha alzato gli occhi dal fumetto che stava leggendo, mi ha fatto un cenno di saluto e mi ha sorriso. Entrato nell'ufficio, ho scoperto che il direttore era in malattia. Il suo vice, un funzionario piccolo, asciutto, emaciato, ha emesso un profondo sospiro prima di spingere attraverso la scrivania un certificato medico. Il certificato diceva che Fortuna soffriva di un'appendicite con gravi complicazioni, e che, non disponendo la prigione della necessaria apparecchiatura medica, avevano dovuto trasferirlo in un ospedale civile.

Il mio sguardo ha incrociato quello del vicedirettore, che ha unito i polpastrelli della mano destra facendo oscillare lentamente il polso in un gesto che significa «Cosa pretendi? Siamo a Napoli. È la vita».

Che dovevo fare? Ero assolutamente certo che se fossi andato con un medico in quell'ospedale avremmo trovato Fortuna con un'incisione nell'addome. Ci avrebbero detto che lo avevano appena operato per rimuovere l'appendice – e magari lo avevano anche fatto. Avrebbero trovato il modo di fargli salire la temperatura nel momento stesso del nostro arrivo. Ci saremmo sentiti dire che la guarigione sarebbe stata lenta, e la convalescenza lunga. Dopo di che la palla sarebbe passata a me. Potevo insistere per riportarlo a Poggioreale, dove le apparecchiature ospedaliere erano davvero primitive, così che a chiunque non conoscesse i retroscena del caso sarebbe sembrata una persecuzione, e Fortuna avrebbe avuto qualche appiglio per ricorrere all'AMG, che avrebbe certamente passato tutto al 3° Distretto.

Quando ho riferito all'FSO tutti questi fatti, e le scoraggianti prospettive, chiedendogli se dovevo procedere, la sua risposta è stata: «Non capisco proprio come lei ci possa perdere del tempo». E con questo, la faccenda era chiusa.

*28 maggio*

Nuove brutalità delle truppe coloniali francesi. Ogni volta che prendono una città o un paese, ne segue lo stupro indiscriminato della popolazione. Di recente, tutte le donne di Patrica, Pofi, Isoletta, Supino e Morolo sono state violentate. A Lenola, caduta in mano degli Alleati il 21 maggio, hanno stuprato cinquanta donne, e siccome non ce n'erano abbastanza per tutti hanno violentato anche i bambini, e persino i vecchi. Stando a quanto viene riferito, i marocchini di solito aggrediscono le donne in due - uno ha un rapporto normale, mentre l'altro la sodomizza. In molti casi le vittime hanno subìto gravi lesioni ai genitali, al retto e all'utero. A Castro dei Volsci i medici hanno curato trecento vittime di stupro, e a Ceccano gli inglesi, per proteggere le donne italiane, sono stati costretti a creare un campo sorvegliato da guardie armate. Molti di questi nordafricani hanno disertato e stanno attaccando paesi a grande distanza dalle linee. Dagli ultimi rapporti risulta che si sono fatti vivi nelle vicinanze di Afragola, aggiungendo un terrore nuovo a quello già causato dalle innumerevoli scorrerie di saccheggiatori.

Oggi sono andato a trovare una ragazza di Santa Maria a Vico che si diceva fosse impazzita dopo la violenza subita da parte di una numerosa banda di nordafricani. Vive sola con la madre (anch'essa ripetutamente violentata), e in totale miseria. Le sue condizioni erano migliorate, e si comportava in modo assennato, con molta grazia, anche se non poteva camminare per via delle lesioni subìte. Carabinieri e Polizia dicono che secondo i medici è pazza, e che se ci fosse stato un letto disponibile l'avrebbero ricoverata in manicomio. Sarà molto difficile, a questo punto, che possa mai trovare marito.

Ci si trova di fronte, insomma, alla sanguinosa realtà di quello stesso orrore che spingeva l'intera popolazione femminile dei paesi della Macedonia a gettarsi dai dirupi piuttosto che cadere in mano degli invasori turchi. Un destino peggiore della morte: in effetti era proprio questo.

Tornando al municipio sono stato affrontato da un gruppo di sindaci delle città della zona, i quali mi hanno presentato un ultimatum: «O ci liberate dai marocchini, o li sistemiamo a modo nostro». Quegli uomini sembrano usciti da un film di gangster, e sono sicuro che non esiterebbero a mettere in pratica la loro minaccia.

Che cosa trasforma un normale, tranquillo ragazzo di campagna marocchino appena arruolato nell'esercito nel più truce degli psicopatici sessuali? Da indagini successive svolte nelle comunità che avevano subìto il loro assalto, sono venuto a sapere che la banda che ha aggredito le due donne di Santa Maria a Vico scorrazzava per la campagna su varie jeep al comando di un sergente maggiore che sognava di essere una ballerina, e che, quando non era in servizio, si vestiva da donna.

*31 maggio*

Continua la frammentazione politica italiana in reazione al lungo, stagnante consenso sotto il fascismo. Adesso ci sono circa sessanta partiti politici ufficialmente riconosciuti, con un numero di iscritti che va dal centinaio ai quasi due milioni. Molti di loro propongono stravaganti ricette per la salvezza nazionale, come quel gruppuscolo di fanatici della zona di Salerno, ad esempio, che sostiene di aver scoperto la soluzione al problema del moto perpetuo, e di essere pronto a sfruttarla nell'interesse del paese. Oltre ai partiti legalmente costituiti ci sono i neofascisti clandestini e i separatisti. Credo che questi ultimi godano in segreto del nostro sostegno.

Il loro più recente piano per la rinascita dell'Italia prevede l'immediata demolizione di tutte le fabbriche, l'abolizione di ogni tipo di automezzo, e nuovi nomi per i mesi del calendario ispirati a quelli degli dèi romani. Nel clima di questo particolare momento, la follia è diventata quasi rispettabile.

Di tutte le forze politiche emergenti i gruppi più numerosi, potenti e lucidi - se si esclude Napoli, dove il sottoproletariato è nella sua totalità monarchico - sono i democristiani, i socialdemocratici e i comunisti ortodossi; questi ultimi sono però in qualche misura indeboliti dall'esistenza di una trentina di correnti, ciascuna delle quali con un proprio organo di stampa, e reciprocamente ostili - l'unico punto su cui concordano è l'appello all'unità dei proletari di tutto il mondo.

Tutto porta a pensare che quando ci saranno le elezioni prenderanno il potere i democristiani. È il partito della Chiesa e del grande padronato, ed è sostenuto dall'energia, dall'acume politico e dalla dedizione dell'establishment religioso. I padroni e la Chiesa sono già al lavoro. Nei quartieri operai, eserciti di suore vanno di casa in casa spiegando alle donne in che cosa consista la democrazia politica, e perché votando per qualsiasi altro partito che non sia quello di Dio e degli Angeli commetterebbero peccato. Per dare sostanza a queste pressioni spirituali ci sono incentivi di altro genere. Un disoccupato iscritto alla DC ha maggiori possibilità di trovare lavoro, e le suore propagandiste distribuiscono spesso piccoli doni, come pasta o farina, che per le famiglie bisognose è molto difficile rifiutare.

In assenza di Togliatti, ancora all'estero, il capo del Partito comunista ortodosso è Eugenio Reale. Ci sono tutte le premesse perché il partito divenga, a liberazione ultimata, il più forte PC al di fuori dell'Unione Sovietica. A differenza dei partiti comunisti di altri paesi, quello italiano annovera fra i suoi quadri un'alta percentuale di intellettuali borghesi; alcuni ricchi, e molti con una formazione giuridica. Una forza politica potente e pericolosa.

Conosco Reale da due mesi, e sarò stato sei volte nel suo appartamento di via Gravina. È una persona serena e pacata, convincente nelle sue analisi della situazione politica italiana, e animata da una fede che direi religiosa nell'ascesa al potere del Partito comunista. A suo giudizio, ciò avverrà dopo che i democristiani saranno andati al governo, e avranno aperto gli occhi al paese intero, mostrando pubblicamente la propria corruzione. Reale parla del futuro con fiducia ed entusiasmo. Siamo ottimi amici, ma nella nostra amicizia c'è, come sempre, una vena di interesse personale. Certi nostri strateghi delle alte sfere insistono ossessivamente sull'importanza di scoprire gruppi neofascisti, convinti che se dovessimo subire un rovescio militare costoro uscirebbero dalle loro tane entrando in azione come partigiani a fianco dei tedeschi. A loro avviso, nessuno meglio del leader comunista è nella posizione di sapere chi siano questi cospiratori clandestini. Forse hanno ragione, ma da tutte le mie visite in via Gravina ho ricavato meno informazioni utili che da un solo incontro, mettiamo, con Lattarullo.

Sospetto che Eugenio Reale sappia con esattezza cosa sto cercando, ma non abbia la minima intenzione di aiutarmi. I neofascisti non gli fanno paura. Probabilmente gli va benissimo che esistano, e che esistano i separatisti, e il partito del Moto Perpetuo, e che il paese sia politicamente diviso e spaccato. Che i suoi avversari politici si facciano a pezzi combattendosi l'un l'altro, che i padroni costringano i loro operai a iscriversi alla Democrazia Cristiana, che le suore continuino a distribuire spaghetti, e che si ingaggi, per dieci lire, chi deve applaudire ai raduni organizzati dalla DC e coprire di fischi i discorsi degli oppositori – tutto questo credo gli stia benissimo. Questa gente sta seminando vento, e Reale prepara la tempesta che raccoglieranno. Il suo partito prospera sulle divisioni e sulla confusione politica, e un numero sempre maggiore di votanti finirà col rifugiarsi nella sua granitica filosofia.

Nel frattempo continuo a insistere perché mi faccia i nomi dei fascisti clandestini, e con mio grande stupore nel nostro incontro di oggi Reale è parso cedere. Mi ha messo in mano un pezzo di carta, sul quale aveva scritto i nomi dei quattro uomini più pericolosi di Napoli, e quello di un giornale sovversivo che andava soppresso. Purtroppo, i nomi sono risultati essere quelli di Enrico Russo, capo dei trockisti, e dei suoi luogotenenti Antonio Cecchi, Libero Villone e Luigi Balzano. Il «notiziario fascista» di cui mi ha parlato Reale è un foglio dei comunisti di sinistra, «Il proletario». Tutta fatica sprecata. Dovevo immaginarlo.

*4 giugno*

È accaduto l'inevitabile: in un paese vicino a Cancello sono stati uccisi cinque marocchini. Li hanno attirati in una casa offrendo loro delle donne, poi del cibo o del vino che conteneva un veleno paralizzante. Quando erano ancora pienamente in sé li hanno prima evirati, e poi decapitati. La decapitazione è stata affidata a degli adolescenti che dovevano provare il loro valore, ma ai ragazzi mancavano sia l'abilità che la forza per eseguire il compito alla svelta e in modo efficace. I corpi sono stati sepolti in diversi orti del paese, sotto dei cavoli che sono stati prima raccolti, poi ripiantati, e nella Zona di Camorra circolano battute macabre sulle buone prospettive del raccolto per il prossimo anno. I fatti mi sono stati riferiti da un contatto di Afragola che ritengo attendibile.

Lo Psychological Warfare Bureau ha condotto

con estrema decisione le sue indagini sui crimini commessi dai marocchini. Mi chiedo se dell'episodio si avrà notizia sul bollettino.

*7 giugno*

Passato a trovare Lattarullo, le cui sorti, dopo la caduta di Roma della settimana scorsa, hanno ripreso a girare per il verso giusto. Ora può di nuovo interpretare la parte dello «zio di Roma» ai funerali, e il suo primo ingaggio, procuratogli dall'agenzia per la quale lavorava in passato, è per oggi pomeriggio. In teoria bisognerebbe andarlo a prendere alla Stazione centrale, e vederlo scendere da una carrozza di prima classe, ma dal momento che i treni non funzionano ancora la cosa non si può fare. In mancanza di meglio, l'agenzia metterà a disposizione una macchina con la targa di Roma e un autista con una mezza uniforme americana, di quelle che si comprano per poche centinaia di lire in via Forcella, con sopra nastrini e decorazioni a piacimento. La macchina lo preleverà in piazza Dante, e lo lascerà proprio davanti al portone.

Mi sembrava stranissimo che Lattarullo potesse sperare di non venire riconosciuto da qualcuno dei partecipanti al funerale per quello che è, un personaggio del colore locale, ma lui sembrava certo che questo difficilmente sarebbe accaduto. Per farmi vedere ha indossato l'abito scuro nuovo di zecca e il cappello nero fornitigli dall'agenzia, ed è subito parso assumere una posizione più diritta e impettita. Anche la sua faccia, in quanto parte del travestimento, era come cambiata, trasformata da una solennità che aveva compenetrato persino la struttura ossea. I napoletani, mi ha fatto notare Lattarullo, tendono, come razza, a passare la propria vita nei quartieri in cui sono nati, che in effetti sono paragonabili a enormi paesi separati l'uno dall'altro. Per questa ragione, lui non avrebbe mai e poi mai accettato un incarico come quello nella sua Chiaia. Quanto al resto, aveva studiato le informazioni passategli dall'agenzia sulla storia della famiglia, e chiuso nel suo contrito, aristocratico distacco, si sarebbe tenuto in disparte dagli altri invitati. Bisogna considerarla una specie di solenne pantomima, ha detto, sicuro che anche gli altri partecipanti la vedano così e non abbiano nessuna voglia di scendere nei dettagli della messinscena. Lui si presenta come un vero romano, con un accento credibile, le mani sui fianchi e la battuta pronta che ci si aspetta da ogni abitante della capitale, ed è convinto che la maggior parte della gente sia felice di stare al gioco. Per le sue prestazioni percepirà un compenso di duemila lire, una somma enorme, che accetterà dignitosamente, senza stucchevoli dimostrazioni di gratitudine. Pensa che insisteranno perché si porti a casa qualche piccolo presente – un po' di pasta, una mozzarella, forse un po' d'olio –, che conta di accettare.

Per questo funerale, che si terrà a Sant'Antonio Abate, un rione proletario dove il bisogno di ostentazione e di mostrare quella che qui chiamano «una bella faccia» raggiunge il parossismo, sono stati predisposti anche altri piccoli trucchi. La magnifica bara foderata di seta nella quale viene esposto il cadavere sarà in un secondo tempo sostituita da un'altra di pino grezzo; persino i fiori sono a nolo, e quando l'ultimo degli invitati se ne sarà andato qualcuno passerà a riprenderseli per utilizzarli in altri tre o quattro funerali. I napoletani, dice Lattarullo, si sono resi conto che non ha molto senso lasciare i fiori nei cimiteri, dove ogni giorno gli sciacalli passano a raccoglierli per rivenderseli, trasformando le corone funebri in bouquet da sposa.

Già che eravamo in tema di mascalzonate napoletane, Lattarullo aveva novità su un caso spettacolare riferito in settimana dalla Sezione di Montevergine, di cui era stata al centro una nota borsanerista. La donna aveva accumulato oro e gioielli per un valore di quattro milioni di lire, nascondendoli nei mobili di casa. Le si erano presentati alla porta tre sconosciuti in abiti ecclesiastici, sconvolti. Due di loro sorreggevano il terzo – un vescovo, dicevano –, che aveva appena avuto un infarto per strada. Il cappellano e il maggiordomo, così si erano presentati i due, avevano portato dentro il «vescovo» coricandolo sul letto della donna, mentre lei era rimasta rispettosamente in strada, aspettando che si riprendesse. Dopo una mezz'oretta la donna aveva deciso di arrischiarsi a dare una sbirciatina attraverso la porta, e aveva scoperto che i suoi visitatori se ne erano andati, dopo aver ripulito la casa.

*9 giugno*

Mercoledì scorso ricoverato al 92° General Hospital, ancora una volta con la malaria. Dopo i soliti tre giorni di atroce emicrania e spossatezza, ho cominciato a sentirmi abbastanza bene, e non mi restava che convincere un ufficiale medico molto comprensivo a dimettermi. Ieri gli ho spiegato che il mio lavoro non poteva aspettare, e lui mi ha dato il permesso di far venire qui, in ospedale, i miei contatti. Stamattina sono passati Lattarullo e Del Giudice, seguiti a ruota da Lo Scalzo in compagnia di donna Maria Fidora, l'ex lottatrice col pitone di Caivano, e da un fedele, ma torvo affiliato della camorra di Afragola. Nel pomeriggio sono venute Lola e Susanna, entrambe cariche di bigiotteria e con acconciature piumate. Qualunque cosa avesse detto l'ufficiale medico, la caposala, borbottando fra i denti, disapprovava. Intorno al mio letto, davanti ai visitatori, è stato sistemato un paravento, e appena

Lola e Susanna se ne sono andate la sorella si è allontanata, ritornando insieme a un maggiore medico che aveva con sé uno spray, col quale ha proceduto a disinfettare circa un quarto della corsia in prossimità del mio letto.

La novità è che Frazer è stato trasferito – o si è fatto trasferire –, e così la sua grande storia d'amore con Lola è finita. Le due ragazze adesso si ritireranno a Ischia per la stagione estiva, «per sgonfiarsi», come dicono loro. Mi hanno spiegato che la parte dell'isola di fronte a Napoli è radioattiva, e che le brezze marine sono ricche di iodio. L'effetto è dimagrante, oltreché particolarmente benefico per i reni, la vescica e la carnagione. Seguendo quanto prevede la cura, si nutriranno di una varietà di conigli che si alleva solo sull'isola. I conigli vengono tenuti nell'oscurità assoluta, e la loro carne chiara, quasi trasparente e senza grassi è una particolarità della dieta.

Vista la piega che hanno preso le cose, immagino che tra poco l'ex federale spedirà sua moglie nell'esilio estivo di una pensione di Capri, in modo da avere campo libero per le visite a Ischia, e via via che il frastuono della guerra si andrà affievolendo, lui e Lola arriveranno a una comoda rappacificazione, favorita dalle famose iniezioni ricostituenti. I ricordi sgradevoli verranno lasciati alle spalle, e presto fra loro sarà come se nulla fosse accaduto.

*27 giugno*

Una settimana di feste, processioni ed eventi miracolosi. Simmons, della Sezione di Bari, ha passato una serata con noi, e ci ha descritto uno spettacolo medioevale cui ha assistito a Guardia Sanframondi, dove ogni sette anni un ordine di flagellanti si riduce in fin di vita in onore della Vergine. Disapprovata dal Vaticano, questa truculenta ostentazione di fervore era stata soppressa sotto il fascismo, quando si riteneva che spettacoli del genere non giovassero molto all'immagine dell'Italia come moderna nazione industriale. Nell'attuale atmosfera di disincanto, desiderio di evasione e isteria è stata riportata in vita a furor di popolo. Centinaia di penitenti vestiti di bianco e incappucciati, che si erano preparati per questo giorno con un lungo periodo di digiuno e di astinenza sessuale, si sono letteralmente impadroniti del paese e sono sfilati in processione per le strade, battendosi il petto nudo con delle pietre aguzze. Simmons dice che le loro tuniche erano inzuppate di sangue. C'è stato un momento drammatico quando un uomo, che reggeva uno degli stendardi, è stato pubblicamente accusato di essere un cornuto – un delitto, secondo i canoni di qui. La Polizia lo ha preso sotto la sua protezione, salvandolo dal linciaggio.

Eric Williams ci raccontava delle sue frustrazioni a Nola, dove domenica scorsa l'intera vita cittadina si è paralizzata per celebrare la Festa del Giglio, che ha causato per l'esercito in generale, e per le Trasmissioni in particolare, una situazione molto difficile. Per la festa si costruiscono otto enormi torri di legno con decorazioni floreali, i «gigli», da portarsi in giro per le strade in onore di san Paolino, che in questa città inventò, nel V secolo, le campane da chiesa. Purtroppo, tutti i principali collegamenti telefonici militari tra il Nord e il profondo Sud, Sicilia compresa, passano per Nola, e per consentire il trasporto dei gigli sono state tagliate centinaia di fili e di cavi. Il caos nelle comunicazioni che ne è derivato, dice Williams, è inimmaginabile.

Proprio quello stesso giorno in cui Eric stava passando i suoi guai a Nola, Del Giudice, che è diventato un contatto prezioso, mi ha chiesto se volevo accompagnarlo ad Amalfi. Ho capito che non voleva dirmi perché. Soppesando i favori fatti e quelli ricevuti, ho deciso che era in credito, e visto che avevo un giorno libero ho preso in prestito una jeep dal Counter-Intelligence Corps alle solite condizioni e siamo partiti.

Del Giudice, gran conoscitore della gastronomia locale, voleva farmi assaggiare le anguille, che in questo periodo dell'anno sono una specialità del posto. Siamo stati in quello che, a sentir lui, è il miglior ristorante di questa parte della costiera, ma il pranzo non mi ha entusiasmato. Ogni volta che mi trovo in un ristorante di pesce noto che, rispetto agli altri, lì la crudeltà è più diretta, più visibile. Le anguille venivano spellate vive davanti ai clienti, per poi essere fatte a pezzi e gettate in padella mentre ancora si contorcevano, e a un certo punto uno dei cuochi ha preso un polipo vivo da una vasca, gli ha tagliato un tentacolo per aggiungerlo a una zuppa, e ha gettato l'animale di nuovo nell'acqua. Del Giudice mi ha raccontato che il ristorante mette a disposizione camere a ore per le coppie sopraffatte dai poteri afrodisiaci delle vivande.

Siamo quindi passati allo scopo principale della gita, che Del Giudice mi ha rivelato essere una visita, interessante dal punto di vista del folclore, alla cripta della cattedrale, dove sono custodite alcune delle molte presunte ossa di sant'Andrea. Tre volte all'anno, e oggi era una di quelle, le ossa trasudano un miracoloso elisir di giovinezza, che viene raccolto in batuffoli di cotone e venduto ai fedeli. Abbiamo aspettato in coda per circa un'ora, in mezzo a sibilanti mormorii di devozione e di auspicio. Finalmente è venuto il turno di Del Giudice, che è stato fortunato, perché pochi minuti dopo la scorta si è esaurita. Il batuffolo, con la sua preziosa macchia umida, gli è costato duecento lire, e gli è stato consegnato da un inserviente gobbo, il che, come ben si sa, ha accresciuto l'efficacia della sacra sostanza. Del Giudice l'ha avvolto in una pagina del «Proletario», e siamo tornati a casa.

*12 luglio*

Nei mesi trascorsi a Napoli ho visitato per servizio tutti i centri entro un raggio di trenta chilometri dalla città tranne Pozzuoli, e oggi un giorno di permesso mi ha offerto l'opportunità di andarci da turista, su una jeep del CIC.

Ci dev'essere un qualche significato nascosto nel fatto che Pozzuoli abbia affrontato l'esperienza della nostra occupazione con tanta indifferenza e serenità. In qualche modo è riuscita a tenersi in disparte dalla guerra. Sembra che i bombardieri l'abbiano trascurata, e che gli eserciti all'offensiva o in ritirata le abbiano girato attorno. Mi è parsa molto diversa, sia di aspetto che per atmosfera, da ogni altra cittadina del Napoletano. Pozzuoli è tranquilla e ripiegata su se stessa. In giro non si vedono soldati, né quei fastidiosi parassiti umani che ingrassano alle loro spalle. Si può quasi immaginare di non essere affatto in Italia, ma in una qualche sonnacchiosa cittadina costiera del Levante. I colori di Napoli sono un grigio austero e il rosso cupo. Pozzuoli indulge in tenui rosa slavati dal salino, con persiane verdi a tutte le finestre, molte delle quali sono ogivali, in stile veneziano. Le numerose cupole danno alla città un'aria ancora più orientaleggiante. La gente non ha l'indisponente curiosità dei napoletani. Nessuno ha trovato una scusa per attaccare bottone con me. Nessuno aveva niente da vendere. Mi sono ricordato di aver sentito dire che i nativi di Pozzuoli hanno pochissimo in comune con i napoletani per abitudini, tradizioni, e probabilmente anche origini, e che parlano un dialetto decisamente diverso. Può darsi abbia giocato anche il fatto che Pozzuoli è fuori dalla Zona di Camorra e dalla sua segreta vita tribale. In effetti, la zona circonda la città e arriva al mare attraverso uno stretto corridoio, pochi chilometri a nord di Mondragone, che invece è città di camorra.

Fu a Pozzuoli, e a Baia – circa tre chilometri da qui, sulla curva del golfo – che nell'antichità tutti i Romani più ricchi, dissoluti e sanguinari costruirono le loro ville al mare, e l'ameno, incantevole paesaggio è intriso di oscure leggende sulle loro imprese. Qui Nerone uccise sua madre, Agrippina, poi invitò gli amici a osservarne il corpo, e toccandone le membra ne discusse con loro pregi e difetti. Qui, nei labirintici sotterranei delle sue carceri, escogitava nuove torture e le sperimentava sui prigionieri. A un chilometro e mezzo di distanza, nella sua villa di campagna, Tiberio sarebbe stato soffocato con un cuscino da Macrone, il comandante della Guardia imperiale. Nel molo vecchio di Pozzuoli, un paio di metri sott'acqua, si vedono ancora gli anelli ai quali furono assicurate le quattromila navi che Caligola fece giungere da ogni parte dell'Impero per costruire un ponte attraverso il golfo, e smentire così la profezia secondo la quale non aveva più probabilità di diventare imperatore che di attraversare il golfo di Baia a cavallo.

Nell'anfiteatro di Pozzuoli, per intrattenere i visitatori durante i giorni di festa, si allestivano bizzarri spettacoli di animali feroci e combattimenti di gladiatori. In quello stesso anfiteatro, nel 305, san Gennaro venne gettato in pasto ai leoni, ma poiché questi lo risparmiarono, fu decapitato. Nel presunto luogo del martirio è stata eretta una cappella, al cui interno si può vedere una pietra macchiata del sangue del santo. Due volte all'anno quel sangue secco si inumidisce e diventa più rosso per simpatia – e in esatta corrispondenza – con la liquefazione miracolosa nel Duomo di Napoli.

Lo straordinario vulcano tronco, noto come solfatara, si trova alle spalle della città. Ho passeggiato sul fondo piatto del cratere, che ha un diametro di circa milleduecento metri ed è composto da un amalgama grigio, ma luccicante, di fango e cristalli di zolfo. Dalle numerose fenditure fuoriesce vapore, e ribolle un liquido sulfureo. Le pareti scabre, alte non più di una trentina di metri, fumano ovunque come i fianchi di una montagnola di rifiuti che continua a bruciare, e non si può spegnere. Alcune persone, giunte fin lì per un pellegrinaggio a scopo curativo, si tenevano il più vicino possibile alle ribollenti fumarole in modo da beneficiare dei vapori. Altre, dopo essersi tolte quasi tutti i vestiti, si erano arrampicate nelle grotte artificiali scavate sulle pareti del cratere, dove potevano cuocersi a fuoco lento mentre inalavano a pieni polmoni i gas sulfurei.

Ho pranzato da Vincenzo a Mare, sul suo piatto scoglio fuori città. Come sempre di questi tempi, non avevano carne, ma potevano supplire con specialità locali: i «cecinielli», piccole anguille di sabbia senza occhi, fritte nella pastella, con contorno di frutti di mare crudi, e altri molluschi come le «noci» e i «fasulari», a forma di fagiolo. I piatti erano accompagnati dal falerno, un vino frizzante locale che sa di zolfo al quale inneggiò Orazio, evidentemente estasiato da tutto quanto aveva a che fare con questa regione. Il vino, che in un ristorante di Londra avrebbe suscitato più curiosità che entusiasmo, era adattissimo a essere bevuto in una giornata calda, e davanti a quel panorama. Mi hanno detto che nell'antichità il falerno veniva servito tiepido. Negli anni Venti, Cuoca, l'ultimo dei grandi capitani della camorra, venne portato proprio lì, da Vincenzo a Mare, dagli uomini che avevano deciso di destituirlo, per quello che doveva essere il suo banchetto funebre. Cuoca fu festeggiato, incensato, abbracciato, baciato; poi, appagato e in pace col mondo, venne portato via per essere trafitto a morte da uno specialista con un ago da materassaio.

Poche altre zone in tutto il Mediterraneo possono vantare una tale concentrazione di luoghi dai nomi evocativi, di rovine, di leggende. Dovunque si trovano vestigia di palazzi, templi e terme. A meno di cinque chilometri da Pozzuoli, dietro il Monte Nuovo, un piccolo vulcano che si formò nella notte del 30 settembre 1538, c'è il lago d'Averno, l'Avernus del mondo classico: un piccolo specchio d'acqua circondato da canneti universalmente ritenuto essere l'entrata agli Inferi. Da qui la Sibilla introdusse Enea nel regno dei morti. Il lago incuteva una sorta di timore reverenziale a scrittori e poeti del tempo, soggiogati dal senso tragico emanato dal suo cupo paesaggio e dalla spettrale penombra che vi calava al crepuscolo. Si credeva che gli uccelli non potessero sorvolare il lago a causa delle esalazioni venefiche che sprigionava, e nell'*Odissea* Omero descrive le sue rive senza sole, sulle quali, ci dice, viveva il tetro popolo dei Cimmeri.

L'Averno, tuttavia, si è rivelato una delusione. Il suo paesaggio è insignificante. Ero preparato a calarmi nella malinconia dei Cimmeri di Omero, ma di malinconia non c'era traccia, così come non c'era nulla dell'incanto o del senso di mistero di molti scenari lacustri dei paesi dell'Europa settentrionale. Il sole splendeva, le rondini scendevano a centinaia sulla superficie dell'acqua per catturare gli insetti, un pescatore appena tornato a riva raccoglieva tutto sorridente il suo magro bottino, e una donna stendeva il bucato fuori da una capanna.

In questa parte d'Italia ci sono pochi laghi, e gli unici che possano competere con l'Averno sono il lago di Fusaro e il lago Lucino – due lagune insignificanti. Si capisce dunque che gli autori del passato abbiano dovuto arrangiarsi col materiale che avevano sottomano.

Appena dietro la collina, a un chilometro e mezzo di distanza, c'è Cuma, e qui l'esperienza emotiva è stata ben altra. La strada passa a pochi metri dall'antro roccioso della Sibilla, dove tanti re e imperatori del mondo mediterraneo si recavano per riceverne lumi nelle ore cruciali della loro vita. Virgilio parla delle sue «cento vie, cento porte da cui cento scorrono voci, responsi della Sibilla». Parole che lì, all'imboccatura di quell'impressionante galleria a camere scavata nella roccia, suonavano assolutamente credibili. Attraverso le fenditure nella roccia, sulle cui pareti si aprono innumerevoli nicchie e tabernacoli, si vedevano le rovine della più antica colonia greca in Italia. E qui davvero si rimaneva senza parola, schiacciati dal sentimento della grandezza del passato. Cuma, da sola, sarebbe valsa un lungo viaggio.

*24 luglio*

Napoli è straordinaria sotto tutti i punti di vista. Alla fine del secolo scorso, Scarfoglio, il più illustre giornalista italiano del tempo, scrisse: «Questa è l'unica città dell'Oriente in cui non ci sia un quartiere residenziale per gli europei», e la battuta regge ancora.

La settimana scorsa, nella nostra strada, un nobiluomo è stato aiutato dai domestici ad alzarsi dal letto di morte, vestito con l'abito da cerimonia, quindi sollevato di peso e deposto in cima alla scala che domina il cortile del suo palazzo. Qui, ritto in piedi con un fascio di rose sistemato tra le braccia, si è trattenuto qualche attimo a prendere commiato da amici e vicini, raccolti nel cortile sottostante, prima di venire riportato indietro per ricevere i sacramenti. Dove, se non a Napoli, il senso della circostanza può arrivare a tanto?

Sempre la settimana scorsa, Evans ed io siamo stati mandati a perquisire l'appartamento del principe Pignatelli, un collaboratore dell'oss, che a quanto ci avevano detto era stato arrestato per spionaggio. L'appartamento era una specie di grembo foderato di seta, con uno sfolgorio d'oro che feriva gli occhi – l'assurdo set hollywoodiano di un filmone biblico alla De Mille. Il principe se n'era andato incontro al suo destino in gran fretta, lasciando i suoi averi nella totale baraonda. Sul piano di porfido del comodino c'era una cartella con dentro mezzo milione di lire e, di fianco, un bicchiere di vino nel quale era mescolato dell'oro in foglia. Un armadio conteneva grandi flaconi di Chanel, e centinaia di calze di seta, ciascuna delle quali valeva l'onore di ogni donna di Napoli disposta a metterlo in vendita. Si aveva l'impressione che qui la passione per il lusso fosse assurta al rango di culto. Molti aristocratici napoletani sostengono di discendere da grandi famiglie dell'antica Roma, e può darsi che subiscano tuttora il fascino dei loro leggendari eccessi. Ci hanno detto che alcune signore napoletane, seguendo l'esempio di Poppea, facevano davvero il bagno nel latte, prima che le attuali ristrettezze ponessero fine all'usanza.

A poche centinaia di metri dalla grotta di Aladino del principe Pignatelli comincia il quartiere della Vicaria, il più densamente popolato d'Europa, se non del mondo. Alla Vicaria sono stipate circa settanta persone ogni cento metri quadrati. Oggi sopravvivono cibandosi di indescrivibili scarti di frattaglie che comprano al mattatoio, di teste e code di pesce, di radici raccolte nei campi, e, in mancanza di meglio, persino di gatti – visto che ci hanno raccontato che i macellai non espongono mai in vetrina un coniglio senza la testa che ne garantisca l'identità.

Trecentomila napoletani abitano nei bassi. In un basso della Vicaria, due metri quadrati possono alloggiare anche tre persone. È lì che molte prostitute portano i loro clienti. Quando entrano, è facile che nella stanza ci siano altri occupanti – magari un vecchio costretto a letto e sistemato su una brandina contro la parete – che non possono andare altrove. In tal caso, non fanno che voltarsi contro il muro. A Napoli ci si arrangia sempre nel modo più civile possibile.

*26 luglio*

Alcune nostre recenti avventure in servizio potrebbero essere capitate ad Ashenden in un racconto di Somerset Maugham.

La settimana scorsa bisognava scegliere qualcuno della Sezione che andasse al campo di internamento di Padula a prelevare una prigioniera così importante, pare, che non ne veniva neppure fatto il nome, e scortarla a Roma per un interrogatorio. Si diceva fosse molto bella, molto seducente, e potenzialmente pericolosa. Questi dettagli, che la facevano sembrare la Lady De Winter di Dumas ci stregarono. Il punto è, ci ha detto John Dashwood ammiccando, che chi la porta a Roma ha l'ordine di non perderla di vista neppure per un minuto. Una volta a Roma la scorta l'avrebbe depositata al carcere femminile per la notte, se lo riteneva opportuno: altrimenti avrebbe dovuto escogitare qualche altro sistema assolutamente sicuro per tenerla sotto sorveglianza.

L'incarico è stato affidato a George Hankin, probabilmente l'unico fra noi che abbia profondi scrupoli religiosi. Inutile dire che la signora ha passato la notte in prigione.

La mia personale esperienza maughamiana, due giorni dopo, è consistita nell'andare all'aeroporto di Capodichino per prendere in consegna un generale italiano, che a quanto pare era stato catturato, drogato e rapito in Svizzera da membri della nostra misteriosa Sezione 100, e portarlo a Poggioreale. L'uomo della Sezione 100 ha sceso gli scalini tenendo stretto il generale, ha teso la mano per vedere i miei documenti, mi ha trapassato con uno sguardo che grondava potere, mi ha affidato il generale, ha scosso la testa per declinare l'invito a un bicchiere di marsala, ha risalito gli scalini, e ha decollato.

Il generale, al contrario, sembrava un tipo alla mano. Mi è spiaciuto molto di non essere riuscito a farmi raccontare nei particolari ciò che gli era accaduto, e sono quasi sicuro che sarebbe stato felice di sfogarsi.

*3 agosto*

Salvatore Loreto, di cui ci erano note le imprese di infiltrato e sabotatore con la X Mas, dopo essere stato messo fuori combattimento e catturato nel corso di una missione «mordi e fuggi» dietro le nostre linee, ha pensato bene di finire, fra tutti i posti possibili, in una corsia del Field Hospital di Cancello. Mi ci hanno mandato per accertare se l'ospedale fosse abbastanza sicuro per custodire un uomo con una reputazione di temerario come la sua, oppure se lo si dovesse trasferire all'infermeria del carcere di Poggioreale. Con mia grande sorpresa, ho scoperto che la caposala altri non era che Sorella M., del 100° General Hospital in Algeria. Laggiù, lavorando dietro il filo spinato, in condizioni spaventose, fra il caldo, la polvere e le mosche, Sorella M. aveva sempre mantenuto la sua aria dolce ed efficiente, ed era ovviamente adorata dai prigionieri affidati alle sue cure – la maggior parte dei quali pativa atroci sofferenze.

Loreto era l'unico italiano della corsia, e la sua ferita era orribile. Sorella M. lo considerava un fenomeno dal punto di vista medico, l'unico uomo che avesse mai visto con un buco netto nel tronco dal quale, quando gli cambiavano la fasciatura, si poteva vedere attraverso. Quando mi sono chinato su di lui, mi ha gettato le braccia al collo scambiandomi per suo fratello, e, piangendo, ha cominciato a ripercorrere episodi della nostra infanzia comune: «Ti ricordi?...Ti ricordi?». Per qualche minuto sono rimasto seduto accanto al letto dove, per un insieme di cause diverse, Loreto stava morendo. Sorella M. aveva fatto tutto quanto stava in suo potere. Sul mento del ferito si vedevano piccole bruciature provocate dalle sigarette che lei gli aveva acceso e messo in bocca, e quando Loreto, dopo che la voce gli si era spenta in un lungo silenzio, l'ha improvvisamente supplicata in un fievole rantolo di dargli uno dei dolci che aveva sempre con sé, lei l'ha fatto tacere con una gelatina alla frutta.

«Per quanto ne ha?» ho chiesto.

«Qualche ora. Forse un giorno. Due al massimo. Il tedesco nel letto a fianco morirà poco dopo le sei».

La testa del tedesco era fasciata in una specie di elmetto di garza e bende. La faccia gli era saltata via, ha detto Sorella M., gli occhi non esistevano più e aveva un buco al posto della bocca. Aveva tentato di suicidarsi strappandosi le fasciature in altre parti del corpo, così da procurarsi un'emorragia letale, e adesso aveva le mani assicurate alle sponde del letto con delle cinghie. Veniva tenuto in vita con sostanze nutritive e stimolanti immesse in vena con un tubicino.

«Come può essere così sicura del momento esatto?» ho chiesto.

«Esco alle sei» mi ha risposto. «Stasera è la mia serata libera, e passa a prendermi il mio ragazzo. Se il tedesco è ancora vivo mi tocca restare con lui, quindi alle sei la flebo deve essere staccata. Tanto, entro domattina sarebbe morto comunque».

*12 agosto*

Improvviso ordine di trasferirsi a Benevento per subentrare alla Sezione 418 e a un distaccamento del Field Security Service canadese, che stanno lasciando la città. Per fortuna l'accordo in base al quale un uomo ne rimpiazzerà venti è temporaneo, dovrebbe durare un mese, almeno nelle intenzioni. Ho fatto i bagagli, stamattina alle sei sono partito in moto e per le dieci ero a Benevento.

Nel maggio dell'anno scorso questa antica città di cinquantamila abitanti è stata distrutta, senza motivo, dalle Fortezze Volanti, e a quindici mesi di distanza non dà ancora segno di riprendersi. La stupenda cattedrale longobardo-saracena dell'undicesimo secolo è soltanto uno scheletro, e i suoi straordinari portali di bronzo sono scomparsi. Mi hanno detto che solo una casa su cinque è rimasta in piedi. Qui si usa portare un lutto di sette anni per i parenti stretti - padre, madre, figlia o figlio -, e così l'intera popolazione è in nero. La miseria di questa gente è al di là dell'immaginazione. Il mio ufficio è in un commissariato di Polizia, che ha subìto danni gravissimi durante il bombardamento. Tutti i soffitti sono crollati, ma l'intonaco è stato semplicemente ammucchiato negli angoli; alle finestre sono inchiodati fogli di cartone. Una grande crepa, che corre dal tetto alle fondamenta del palazzo, è stata riempita con un impasto di malta e fil di ferro. L'acqua arriva solo per pochi minuti al giorno. Consigliano di lasciare i rubinetti aperti, in modo da poter raccogliere ogni goccia che filtra. Così alla fine, una volta precipitato un sedimento scuro, nel lavandino si forma una piccola pozza giallastra. Il portiere dell'edificio, sotto un lacero impermeabile da portaordini inglese, è nudo come un verme - il mio primo contatto con un vero «lazzarone» d'altri tempi. Venendo qui sono passato vicino a un gruppetto di scugnizzi sui tredici, quattordici anni, che si masturbavano seduti sul bordo di una fontana distrutta.

A Benevento i canadesi, andandosene, hanno lasciato un cattivo ricordo. Mentre passeggiava per strada, il sergente maggiore era uso portare un frustino col quale scacciava quanti si trovavano sul suo cammino. L'uomo che ora controlla la città è il maresciallo Francesco Altamura, del Servizio Informazioni Militari, che ha ricevuto ordine da Napoli di mettersi a mia disposizione. Altamura è un uomo di bell'aspetto, allegro, assolutamente imperturbabile, ed emana un sinistro potere. Mette in ombra persino il «primo cittadino» che pur essendo di sicuro il mafioso del posto, insediato da Vito Genovese, è stranamente un incapace, con qualcosa di zitellesco, e passa gran parte del tempo provvedendo alle necessità di un vecchio padre esigente.

Stasera Altamura mi ha portato a conoscere i notabili della città, fra i quali un ricco impresario di pompe funebri e il proprietario di quello che il maresciallo ha descritto come il miglior bordello dell'Italia del Sud. Gli affari dell'impresario vanno a gonfie vele. Qui il tasso di mortalità probabilmente eguaglia quello dell'Inghilterra medioevale, e nella zona si segnala qualche caso di tifo. Per molti chilometri all'intorno c'è un'eccezionale richiesta degli articoli del nostro uomo, che essendo internamente rivestiti di piombo si ritiene preserveranno intatto il loro contenuto fino al Giorno del Giudizio. Ho saputo che il piombo proviene dal tetto della cattedrale, ed è stato rubato dalle macerie. Il primo a offrirmi una bustarella è stato il tenutario del bordello. L'uomo ne ha un altro a Napoli, che è stato chiuso quando gli è venuta a mancare la protezione degli ufficiali dell'AMG, passati alla concorrenza. Se qualcuno (come me, per esempio) avesse detto una parolina alla persona giusta per farlo riaprire, lui sarebbe stato disposto a pagare centomila lire.

Questa proposta mi ha ricordato un foglietto passatomi dal sergente maggiore della 418 di cui ho preso il posto. Sono andato a rileggermelo:

| | |
|---|---|
| CARABINIERE | 100 lire |
| BRIGADIERE | 200 lire |
| MARESCIALLO | Mozzarella |
| PRIMO CITTADINO | Spaghetti (meglio tagliatelle) o mozzarella |
| COMMISSARIO PS | Biancosarti |
| MARCHESA M. | Keating's Powder, o simili |

Si tratta dei piccoli doni che passano abitualmente di mano in cambio di piccoli favori.

È stato sollevato il problema della macchina, che mi è indispensabile per il lavoro. In città ne sono registrate solo cinque, ma il maresciallo pensava di riuscire a procurarsene una. Siamo andati in un'autorimessa, dove mi è stata mostrata una Bianchi in un angolo, appoggiata sui blocchi di legno. Oltre alle ruote, mancavano molti pezzi del motore. Fino a oggi, ha detto il maresciallo, nessuno è riuscito a requisire la macchina, anche se ci hanno provato in tanti. Per un amico, lui pensava di poter trovare tutti i pezzi mancanti, e mettere l'auto a sua disposizione. In realtà mi stava dicendo: con me stai a galla, senza di me vai a fondo. Mentre si discuteva la faccenda ho fatto un giretto, e ho preso uno pneumatico da una panca. Era un copertone Dunlop, dai bordi del quale erano stati raschiati marchio di fabbrica, numero e misura, e lì accanto c'era l'attrezzo elettrico col quale, evidentemente, era stata condotta l'operazione. Un altro pneumatico aveva il battistrada Dunlop, ma la scritta Pirelli. Ho chiesto al meccanico da dove venissero quelle gomme rubate, e lui mi ha risposto di averle comprate. «Lo fanno tutti». Era un amico del maresciallo, e pronto a diventare amico mio. Come chiunque altro, poi, sapeva che dipendevo dal maresciallo.

Quando siamo tornati in ufficio era già notte. Lungo la strada ho notato dei puntini luminosi che zigzagavano in cielo, e qua e là piccole cascate di scintille. Li ho indicati al maresciallo, e lui mi ha spiegato che i ragazzini acchiappano i pipistrelli, legano loro addosso degli stracci imbevuti di benzina, danno fuoco agli stracci e quindi liberano gli animali. L'abilità con la quale si procurano questi piccoli divertimenti lo riempiva d'orgoglio, anche se a malincuore ha dovuto riconoscere che la benzina doveva essere stata rubata da qualche serbatoio.

*13 agosto*

Oggi si è presentata in ufficio una ragazzina sudicia e lacera, che ha detto di chiamarsi Giuseppina. Questa dodicenne dall'aria molto sveglia non ha voluto dirmi di sé altro che l'età, che i suoi genitori erano stati uccisi nel grande bombardamento e che vive «sotto una casa» lungo il fiume. Ci sono centinaia di maschietti nelle sue condizioni, orfani scalzi, laceri e affamati, che in un modo o nell'altro tirano avanti, e riempiono i vicoli con le loro risate, ma Giuseppina è stata la prima bambina abbandonata che io abbia visto. Mi ha detto di essere venuta per la coperta, come al solito.

Non sapevo cosa risponderle. Le coperte, in questa Italia in rovina, sono una forma di valuta, e piuttosto pregiata, se si considera che il prezzo di un buon articolo australiano o canadese equivale alla paga settimanale di un operaio. Le ho detto che non avevo coperte da darle, e le ho proposto un pacco di biscotti, che lei ha rifiutato con garbo. «Non è più il posto di Polizia?» mi ha chiesto. Le ho risposto di sì, che lo era, e lei mi ha detto che l'uomo di prima – chiaramente il mio predecessore canadese – le dava la coperta una volta alla settimana.

Solo allora ho capito il tragico significato della richiesta, e che quella creaturina ancora acerba, tutta pelle e ossa, era una prostituta-bambina. Gli scugnizzi, di Napoli o di Benevento, sono intelligenti, simpatici e soprattutto filosofi – molto più dei bambini cresciuti nelle famiglie normali – e la versione femminile non differiva in nulla da quella maschile. Che le sue prestazioni non mi interessassero doveva averla delusa, eppure sul suo volto si leggeva soltanto buonumore. Ha abbozzato una specie di riverenza. «Forse, a pensarci bene, prenderò i biscotti» ha detto. Quindi, con un cenno di saluto, è uscita.

*15 agosto*

La marchesa citata nella lista del mio collega si è scoperta essere l'ultima erede vivente di una delle grandi famiglie di proprietari terrieri dei dintorni. Dimostra tra i cinquanta e i sessant'anni, è ingioiellata, gialla di febbre, e fuma la pipa. Ha fama di ninfomane, e nelle schede lasciatemi dal mio predecessore si dice che è solita adescare gli scugnizzi adolescenti perché la accompagnino a cavallo in un bosco a qualche chilometro dal paese, dove, dopo averli sedotti, offre loro un compenso di cinquanta lire.

Sono stato ricevuto nella parte abitabile, molto ridotta, del suo castello. Sulle travi sopra la nostra testa c'erano dei piccioni, e sul pavimento uno spesso strato di guano. La marchesa si mantiene fornendo piccioni all'albergo del posto, e affittando la torre e il campanile ai guardiani di porci. Ha coperto di terra il pavimento del salone dei banchetti, e vi coltiva ortaggi. È, come si può vedere, una donna molto energica.

La marchesa sostiene di avere origini sveve, e mi ha raccontato che nel castello, quando lei era bambina, si doveva parlare solo francese. Il suo disprezzo per i contadini italiani è smisurato, e si fa un vanto dell'oppressione feudale esercitata dalla sua famiglia, affermando che i loro vassalli erano tassati (ventun notti al mese) persino per dormire con le loro mogli. Nella provincia conosce tutti, e per me è molto prezioso un punto di vista radicalmente diverso da quello del maresciallo. Una rivelazione sorprendente: l'innocuo, imbelle primo cittadino regge le fila di una potente banda di fuorilegge. Hanno messo le mani su un carro armato in avaria, che stanno ricostruendo. La marchesa mi ha avvertito che presto potrei venire avvicinato da qualcuno che ha bisogno di pezzi di ricambio «per un trattore».

*18 agosto*

Mi sono temporaneamente trasferito all'Albergo Vesuvio, un tempo vanto cittadino, che, oltre a dieci camere da letto, offre anche l'unico bagno turco in tutta la provincia. L'albergo è stato ridotto all'essenziale a causa dei danni subiti nel grande bombardamento. Ora rimane soltanto uno stanzone, in un angolo del quale sono stati accatastati venti o trenta attaccapanni, altrettante sputacchiere, e un boschetto di palme in vaso. A seconda delle ore del giorno, la stanza serve da caffè o da ristorante, e allo scoccare della mezzanotte entrano in campo dei paraventi giapponesi e vengono spostati al centro quattro letti di ferro, che normalmente stanno appoggiati contro la parete. Io dormo - molto male, a causa delle zanzare e del caldo - su uno di questi.

È sorto un problema. Avevo consegnato al cuoco le mie razioni, intendendo andare avanti con quelle, ma non sono stato preso sul serio: nessuno riesce a credere che un essere umano col cervello a posto e in condizioni di mangiare della pasta possa rinunciarvi. Di conseguenza, ogni volta che mi siedo a tavola mi mettono davanti un piatto di spaghetti. Alberto, il proprietario, è un uomo gentile e generoso, e mi sembra impensabile mandare indietro il piatto così com'è senza offenderlo. Il difficile è trovare il modo di ricambiare questa ospitalità, se si tiene conto che gli italiani sono convinti che ogni militare alleato disponga di scorte di cibo illimitate. Ieri, mentre ritiravo le razioni preparate dai sudafricani a San Giorgio, ho pensato di chiedere al sergente se per caso fosse avanzata della carne in scatola. Lui ha immediatamente tirato fuori una mezza dozzina di grosse scatolette di bacon, che ha descritto come una porcheria immangiabile. Le ho portate all'albergo e le ho consegnate ad Alberto, proponendogli di invitare a cena tutti i suoi amici.

La festa è stata un gran successo. Oltre all'élite di Benevento che già conoscevo – il maresciallo Altamura, il primo cittadino, la marchesa e l'impresario di pompe funebri –, è venuto anche don Enrico, il capitalista del luogo, nonché socio occulto di Alberto. Ha gli occhi tristi e i tratti cascanti di un bracco, e unghie dei mignoli lunghissime per dimostrare, secondo l'antica usanza del Sud, che non lavora. Hanno unito tre tavoli, e i vasi con le palme sono stati disposti in modo da separarci dal resto della clientela. Siamo stati serviti da Lina, la tuttofare, che per l'occasione si era pettinata, inamidata e inguantata, e non era quasi più riconoscibile come la sciattona che quasi ogni notte si infila dietro il paravento giapponese, dove, per la modica somma di cinquanta lire, intrattiene qualche commesso viaggiatore. Sua madre, una vecchia megera in nero, metteva sul meraviglioso grammofono a tromba dei dischi rovinati con musiche di Verdi. Dopo qualche esperimento era stato deciso di mangiare il bacon crudo. Nessuno dei presenti lo aveva mai assaggiato prima, e tutti si sono profusi in lodi entusiastiche. I molti bicchieri dell'aspro ma forte vino locale hanno dato alla testa a parecchi. La marchesa faceva risuonare le sue risate per tutta la stanza, spargeva cenere ovunque dalla sua pipa, e quando Alberto si è messo a spruzzare le palme col flit è stata colta da un accesso di tosse. Don Enrico, l'autore della spregevole lettera a Hitler che era finita nelle mie mani, reggeva al contrario una bandiera americana, e con voce stridula e monotona ha intonato un «Viva gli Alleati». A festa inoltrata, un accenno non troppo sobrio di inno nazionale è sfociato nella marcia trionfale dell'*Aida*. Quando tutto è finito ho sentito che, se non altro, avevo aperto una breccia nella diffidenza locale e fatto qualcosa per scacciare lo spettro del sergente maggiore e del suo frustino.

Oggi la Bianchi mi è stata consegnata all'albergo: finché resto a Benevento posso disporne – in prestito, beninteso.

*20 agosto*

Il maresciallo è, o almeno sembra, preoccupato. Dice che la città è circondata dai banditi, e gli è giunta voce che potrebbero mettersi insieme per attaccarla. Cosa suggerivo di fare?

«Niente» ho risposto. «Non mi riguarda».

«Siamo tutti nella stessa barca» ha detto lui. «Potresti andarci di mezzo anche tu».

Gli ho chiesto cosa suggeriva lui, e la sua idea era che dovessimo andare a cercare i cattivi, prima che fossero loro a saltarci addosso.

E con che cosa? Gli ho chiesto. Quanti uomini e

quante armi potevamo mettere insieme? Gli ho fatto presente che, per quanto mi riguarda, ho una Webley 38 con solo cinque cartucce, la stessa pistola e le stesse munizioni con cui sono sbarcato a Salerno un anno fa. Il maresciallo mi dice di avere in dotazione una Beretta automatica, e di poter contare sull'appoggio di tre carabinieri, che però posseggono due paia di scarponi in tutto, e quindi alle missioni operative possono partecipare solo due alla volta. Sono armati con i Carcano del 1912 o giù di lì – i fucili che hanno aiutato gli italiani a perdere questa guerra. Poi ci sono due poliziotti, che secondo lui se la darebbero a gambe al primo sparo. Infine, in città sono distaccati due agenti della MP inglese, che magari sarebbero disposti a darci una mano.

Ho ribattuto che si sapeva che i banditi, in gran parte disertori italiani e americani, erano armati con mitragliatrici pesanti Breda. Non solo, ha aggiunto il maresciallo: hanno anche tutto l'equipaggiamento americano più recente, che secondo lui hanno ricevuto in segreto da agenti dell'OSS. Dice di sapere che lo scopo ultimo è di inquadrare questi irregolari in un esercito separatista vero e proprio, in appoggio al movimento clandestino che intende separare l'intero Meridione dal Nord. Da tutto ciò si ricava l'impressione che i separatisti amici di Lattarullo, con le loro idee deliranti, possano guadagnare terreno anche qui, come sappiamo sta accadendo in Sicilia.

«Dobbiamo fare qualcosa» ha detto. «Più aspettiamo, peggio è». In quel momento mi sono ricordato di avere appena ricevuto un messaggio che annunciava l'arrivo di rinforzi, composti da due mezze sezioni canadesi per un totale di due ufficiali, due sergenti maggiori, e otto sergenti. Ho deciso di tenere l'informazione per me.

A questo punto gli ho raccontato che oggi il primo cittadino mi ha chiesto di procurargli pezzi di ricambio per il suo trattore. «Servono per il carro armato, vero?» ho chiesto.

Il maresciallo ha scrollato le spalle: «Non devi credere a tutto quello che senti in giro» ha risposto. «Comunque penso di sì».

*21 agosto*

Ho discusso il problema dei banditi con don Ubaldo, il maestro di scuola, il quale ha detto che la loro presenza qui ha sempre coinciso con i momenti di crisi. Se li ricordava nella sua infanzia, prima e dopo la guerra del 1915, e non gli veniva in mente nessun periodo della storia in cui l'Italia del Sud e la Sicilia fossero state libere abbastanza a lungo da questa piaga. Gli ho detto che, benché sui giornali se ne parli poco, sono venuto a sapere dalla nostra sezione in Sicilia che laggiù sono attualmente attive qualcosa come trenta bande, molte delle quali si ritiene siano guidate da criminali comuni riusciti a evadere durante i combattimenti.

Don Ubaldo ha detto che per tradizione, quando crolla l'ordine costituito, molti banditi si mettono al servizio dei grandi proprietari terrieri, che offrono loro rifugio e un po' di cibo a patto che diano una mano a tenere al loro posto i contadini. In questo momento, in Sicilia, i banditi stanno assaltando le stazioni di Polizia e i depositi alleati in cerca di armi, e qua e là attaccano paesi isolati. Don Ubaldo non ha mai sentito di un attacco a una città delle dimensioni di Benevento; tuttavia, non essendoci truppe alleate nelle vicinanze, teme che la cosa potrebbe tentarli. Il maestro, ufficialmente iscritto a uno degli innumerevoli partiti di sinistra, dice che molta gente sta cominciando a pensare al fascismo come a un felice interludio di sicurezza e di governo forte.

Mi ha raccontato un aneddoto sul massacro degli ultimi briganti del secolo scorso in una cittadina qui vicino. Erano stati circondati in una casa, e la Polizia non riusciva a stanarli. Ogni volta che cercava di fare irruzione qualcuno ci lasciava la pelle. Alla fine chiamarono il prete a fare da intermediario. Questi ottenne dalla Polizia la promessa che, se i briganti si fossero arresi, non ci sarebbe stato spargimento di sangue. Loro si arresero, ma fu deciso ugualmente di ucciderli tutti; siccome il capitano di Polizia non intendeva mancare alla parola data circa lo spargimento di sangue, vennero soffocati a uno a uno nel sonno.

*25 agosto*

Peters, il sergente della MP, è riuscito a scamparla in un'imboscata dei banditi sulla strada di Nola, ad appena un chilometro e mezzo dalla città. Gli hanno tirato una granata nella jeep, che fortunatamente è caduta nello spazio dietro al sedile posteriore, e lo schienale metallico lo ha protetto dall'esplosione e dalle schegge. Se l'è cavata con un timpano rotto.

Riunione per decidere il da farsi. Il sindaco, un'assoluta nullità, ha proposto di rivolgersi alla più vicina unità di fanteria per farsi prestare una compagnia. La prima obiezione è che non ce la darebbero mai, e la seconda che, se anche la ottenessimo, in una situazione come questa i soldati non servirebbero a niente. I banditi hanno un loro servizio informazioni, e non appena un qualsiasi raggruppamento di soldati muovesse nella loro direzione non farebbero altro che ritirarsi sulle montagne. Peters si è rivelato essere un formidabile veterano decorato nella campagna di Palestina, colonialista fino al midollo, e privo di espressione come un maggiordomo diplomato. Dice che i banditi, che ora sono completamente motorizzati, guidavano un camion militare tedesco.

Decisione: aspettare l'arrivo delle sezioni canadesi, e poi, forse, entrare in azione.

*28 agosto*

Siamo stati informati che Benevento è ora ufficialmente colpita da due epidemie: vaiolo e febbre tifoide. Si sono registrati novanta casi di tifoide, mentre mancano le cifre del vaiolo e quelle del tifo, che ha mietuto molte vittime, tra le quali anche il predecessore del maresciallo, un capitano dei Carabinieri. Pochi giorni fa, parlando di lui, il maresciallo ha sottolineato con una punta di compiacimento che il capitano era di Roma. «A quanto pare questi signori romani non riescono a mettere radici qui» ha detto. «Arrivano pieni di energie e di entusiasmo, ma non riescono ad adattarsi alle condizioni di vita. Non fanno che prendere pasticche e cospargersi con ogni tipo di polvere, ma si consumano come candele». Dopo queste parole, ho sentito il suo sguardo indagatore su di me. «Per poter tirare avanti in un posto come questo» ha detto il maresciallo «devi avere il sangue come il mio, troppo forte per zanzare, mosche e pidocchi».

Per quanto mi riguarda, la preoccupazione principale è l'eventualità di un altro attacco di malaria. Ho preso una dose doppia di mepacrina – che a poco a poco mi sta facendo ingiallire la pelle e il bianco degli occhi –, ho dormito sotto una zanzariera, e ho spalmato su tutte le parti esposte dell'epidermide un unguento puzzolente contro le zanzare, che però mi hanno punto lo stesso. In questa città, la gente accetta la malaria come una cosa inevitabile.

Qui viviamo nel Medioevo, sotto ogni punto di vista. Solo i palazzi sono cambiati - e la maggior parte cade a pezzi. Epidemie, rapine, funerali seguiti da donne urlanti, mendicanti deformi e mutilati, disgraziati senza gambe che vanno in giro su tavole a rotelle - persino pazzi furiosi, per i quali non c'è posto nei manicomi. La gente cammina per strada con i fazzoletti premuti sulla bocca e sul naso, come è probabile facesse anticamente durante le pestilenze. Stamattina sono addirittura capitato in una piazzetta nascosta tra le macerie, dove alcune donne stavano ballando per scacciare il morbo.

*30 agosto*

Sono andato a colazione all'Albergo Vesuvio, dove ci ha raggiunto un amico di don Ubaldo per dirci che il maestro si è ammalato. Aveva con sé la ricetta di una medicina di cui c'era urgente bisogno, ma a Benevento - dove peraltro si possono comprare tutti i dolci e le torte possibili e immaginabili - medicine non ce ne sono. Potevo fare qualcosa?
Dovendo comunque andare a Napoli per il mio rapporto settimanale, sono partito immediatamente con la Bianchi, percorrendo la strada - che comprende numerose deviazioni là dove i ponti sono crollati - in un paio d'ore, e ho portato la ricetta al mio contatto nell'ambiente farmaceutico. Nessun problema. Il mio amico aveva a disposizione ogni tipo di farmaco noto alla medicina moderna, e sapevo benissimo da dove venivano le sue abbondanti scorte. Mentre aspettavo che mi portassero quello che avevo chiesto, ho girato intorno alla cassa per osservare più da vicino un ragazzino impegnato a scollare le etichette inglesi prima di appiccicare quelle italiane. Non ero tenuto a intromettermi, e comunque un mio intervento non sarebbe servito a

nulla. Come solo risultato avrei perso un amico, e la medicina di don Ubaldo. A poco a poco mi sto adattando al sistema!

*31 agosto*

Tornato a Benevento, dove ho consegnato la medicina per don Ubaldo, che adesso pare gravemente malato, anche se non mi è stato detto che cos'ha. Visto un funerale, con una prefica che si graffiava le guance fino a farle sanguinare, e anche una squadra di sanitari italiani che inseguiva dei contadini per spruzzarli di polvere antitifica. I contadini non capivano cosa stessero facendo, e alcuni di loro urlavano di paura.

Oggi pomeriggio i canadesi che ci erano stati promessi sono arrivati su due splendidi camion Dodge, e si sono rivelati degli autentici, scatenati pistoleri, dei cowboy piombati qui direttamente dalle praterie. Hanno tutto quello che ogni soldato desidererebbe: un assortimento di pistole, fiaschette da tasca, fiches per il poker, foto di Rita Hayworth con l'autografo, preservativi e moneta d'occupazione in abbondanza. Un sergente ha un diamante grande come l'unghia del mio pollice, avuto in cambio di qualche mazzetta di banconote da mille lire comprate non so dove lungo la linea del fronte. Il diamante, mi ha spiegato, è la forma più maneggevole di ricchezza. I canadesi sono dodici: due capitani, due sergenti maggiori e otto sergenti, e l'atmosfera tra loro è democratica. Nessuno fa il saluto militare, e i capitani vengono chiamati per nome. Al solo sentir nominare la possibilità di uno scontro con i banditi hanno urlato d'entusiasmo. Entusiasmo che si è smorzato stasera al momento degli aperitivi, quando uno di loro ha notato un ospite dell'albergo che, tranquillamente seduto nel suo angolo, vomitava in un sacchetto, e si è sentito dire che forse l'uomo era al primo stadio di una malattia altamente infettiva, e in genere letale. Hanno un terrore della mancanza di igiene tipico degli americani, e in generale di quelli del Nuovo Mondo, e sono inorriditi dalla sporcizia dell'Italia, pregiudizio che non ha impedito a due di loro di accordarsi per la notte con la tuttofare, il cui aspetto nell'insieme è, a dir poco, malsano.

*1° settembre*

Una sola notte nel maleodorante dormitorio comune dell'Albergo Vesuvio, sotto l'attacco della speciale razza di zanzare della casa, è bastato a spezzare il morale di molti canadesi, e stamattina i due ufficiali, un sergente maggiore e quattro sergenti hanno deciso di trasferirsi ad Avellino, dove pare che le condizioni siano migliori. Sono quindi rimasto con l'altro sergente maggiore e quattro sergenti. Sono amichevoli e pronti a collaborare. A dispetto della loro amoralità, è difficile non trovarli simpatici. Non hanno assolutamente nulla da fare, e quanto alla guerra, sanno a malapena di cosa si tratti. Com'era prevedibile, nessuno di loro parla una parola di italiano. Oggi hanno passato la giornata facendo un giro in città. Offrono dolci a tutti i bambini, buttano tutti i maschi italiani giù dal marciapiede, e a ogni donna in età feconda che incontrano fanno immediatamente una proposta oscena. Le ragazze sopportano questi approcci di routine con grande dignità, e alcune arrivano al punto di spiegare in modo educato, e persino con l'aria di scusarsene, perché non se la sentono di consumare un rapporto sessuale lì, sul posto.

I canadesi si lamentano molto delle mosche, con le quali io ho imparato a convivere, dato che non ci si può fare nulla. Queste mosche beneventane sono alla costante ricerca di umori, e quando una di loro atterra su un labbro o su una palpebra canadese e comincia a suggere provoca, generalmente, un nitrito di disgusto. Oggi pomeriggio abbiamo visto un uomo disteso per strada, probabilmente in punto di morte, che veniva scrupolosamente evitato dai passanti, tutti col loro fazzoletto premuto sul naso. Jason, il più giovane, scatenato e simpatico dei canadesi, ha proposto di telefonare all'ospedale per farsi mandare un'ambulanza, e con sua sorpresa si è sentito dire che i telefoni non funzionano, che all'ospedale non ci sono ambulanze, che un'unica infermiera, che va a dormire a casa, si occupa di un centinaio di pazienti, e che non c'è posto neppure per un solo malato sul pavimento, tra un letto e l'altro.

Stasera, alla notizia che don Ubaldo probabilmente non sopravvivrà, e che la gente in preda al panico sta cominciando ad abbandonare la città, l'Albergo Vesuvio è piombato nello sconforto.

Dato che per questa notte i servigi della tuttofare erano stati prenotati in anticipo da uno dei suoi clienti abituali, ho suggerito a due canadesi che erano in una disposizione d'animo romantica di provare a vedere cosa offriva il bordello. Sono usciti, per tornare subito indietro, lamentando che l'unica ragazza disponibile avesse un occhio di vetro.

*3 settembre*

Don Ubaldo è morto stamattina, di febbre tifoide.

In seguito alla pressante richiesta dei canadesi di abbandonare la città, mi sono incontrato col primo cittadino, al quale chiaramente non pareva vero di farci un favore di cui un giorno avrebbe potuto pretendere la restituzione, e senza dubbio anche di vederci girare i tacchi. Ha immediatamente trovato una fattoria disabitata nel paese di Sagranella, sulle colline, e un paio d'ore dopo il nostro colloquio ne abbiamo preso possesso. La fattoria è grande, pulita e arcaica – è come stare in una grotta in superficie; da qui si gode di una magnifica vista sulle nude colline, che al nostro arrivo brillavano come rame sotto il sole di mezzogiorno. Il paese sembra rimasto fermo all'Età del Bronzo. Mi hanno detto che c'è il culto della volpe: ogni anno ne catturano una, la bruciano viva e ne appendono la coda, come una bandiera, a un palo all'ingresso dell'abitato. In un campo qui vicino c'è un'enorme testa simile a quelle dell'Isola di Pasqua, che rivolge al passante un sorriso sardonico, e che probabilmente risale al tempo dei Sanniti, o a prima ancora. Si dice che nei grandi possedimenti dei dintorni, coltivati, pare, quasi esclusivamente dalle donne, sia tuttora pratica comune lo *ius primae noctis*. Le donne lasciano le case per andare nei campi poco prima dell'alba, e ritornano poco dopo il tramonto: una giornata di sedici ore. Pare che il mezzadro tasti loro i muscoli, prima di assumerle.

La grande, straordinaria attrattiva di questo posto è costituita dalla presenza, nei pendii cespugliosi sotto di noi, di miriadi di lucciole, e stanotte, con il buio, ogni siepe aveva la sua morbida illuminazione bluastra, e ogni foglia, ogni ramo brillavano di luce propria. Il fenomeno ha incantato i canadesi, che di fronte a esperienze nuove come questa mostrano uno stupore infantile. Uno dei pochi edifici di una qualche importanza risparmiati dal bombardamento americano è la distilleria dello Strega, dove si può comprare una bottiglia di liquore ambrato e aromatico per la ragionevole somma di cento lire, più mezzo chilo di zucchero. Si è scoperto che i canadesi, sul Dodge, avevano persino una scorta di zucchero, così stamattina presto siamo andati alla fabbrica e abbiamo comprato una dozzina di bottiglie con cui stasera, alla fattoria, abbiamo tenuto la festa di inaugurazione. Il liquore forte e vischioso ha immediatamente ubriacato i canadesi, che si sono levati i vestiti di dosso, e cantando e ballando sono usciti di casa e sono scesi giù per i fianchi della collina, tra i cespugli e le lucciole – una visione irreale, perfino poetica.

*6 settembre*

I canadesi sono generosi e disinteressati, sotto tutti i punti di vista. Per loro, cresciuti nella libertà di spazi illimitati, la proprietà, il possesso, e qualsiasi diritto territoriale sembrano avere molto meno valore che per noi. Tutto quello che hanno è tuo, se lo chiedi: mezzi di trasporto, beveraggi, persino la foto con dedica di Rita. Senza esitazioni, e come fosse la cosa più naturale del mondo, ti propongono di spartire due giovani contadine spaventate che hanno raccolto in una delle loro scorribande, e che trattano come scimmiette ammaestrate, nutrendole durante il giorno, quando capita, di gallette e fettine di bacon. Hanno finito il whisky, e il dolce e inebriante Strega mi spaventa un po'. Ne bevono bicchieri interi, persino a colazione, dopo di che, giocherellando con le pistole, se ne escono barcollanti in cerca di avventure.

L'ultima volta che sono stato al Comando, con mia grande sorpresa mi hanno trovato un incarico ben definito: indagare sulle intenzioni di un partito politico clandestino che opera nella zona. Con la nostra benedizione si sono costituiti qualcosa come sessantacinque partiti politici, i quali parteciperanno alla furiosa rissa democratica che prevedibilmente si scatenerà quando verranno indette le elezioni. Oltre a questi, esistono molti movimenti non riconosciuti che aspirano a restituire alla nazione la sua grandezza. In gran parte sono farneticanti, come i separatisti di Lattarullo, che vogliono vestire la gente con tuniche romane, istituire un minimo legale di dieci figli per famiglia, reintrodurre sotto questa o quella forma la servitù della gleba. Alcuni vengono considerati più risoluti e sinistri, e tra essi quello su cui dovevo indagare, che si chiama «Forza Italia!» e si sospetta di simpatie neofasciste. I miei contatti a Benevento lo liquidano con disprezzo come l'ennesimo, fanatico movimento di destra appoggiato dai proprietari terrieri e dalla mafia rurale, in questo caso capeggiata da un latifondista suonato che sostiene di essere la reincarnazione di Garibaldi. Ad ogni modo, vogliono un rapporto, ed essendo venuto a sapere che per oggi era in programma un comizio a San Marco dei Cavoti, un paese sui monti del Sannio a una trentina di chilometri da qui, ho chiesto in prestito il Dodge ai canadesi e ci sono andato. Sono partito alle sei, prima che i miei compagni si alzassero, e per le otto ero a San Marco.

Nel profondo Sud i comizi politici si tengono la mattina presto, in modo da evitare la calura, e spesso offrono il pretesto per improvvisare una fiera. In questo caso, la gente venuta a sentire i discorsi ne aveva approfittato per portare con sé qualche pecora da vendere, ed era stata allestita una bancarella con giocattoli di paglia intrecciata, dolci di farina gialla e zufoli di latta, mentre una banda composta da tre elementi aspettava di suonare. San Marco sembra scolpita nel cuore della montagna, un corallo umano, dove la vita di ciascuno è solo e soltanto lotta contro la miseria. È un paese di pastori con facce da totem, uomini solenni e silenziosi nati in condizioni non molto diverse dalla schiavitù. In alcuni casi forse si tratta di schiavitù vera e propria, visto che è opinione diffusa che in questa, come in molte altre province del Sud, i bambini maschi vengano venduti dai genitori ai proprietari delle grandi greggi. Questi uomini taciturni sono più grossi e più arcigni dei contadini del Meridione, coi quali credo abbiano poco in comune.

I comizi di questi giorni sono sempre la solita solfa, uno vale l'altro. Il pubblico italiano apprezza l'oratoria al di là del contenuto, ed è affascinato da quell'esibizione di fuochi d'artificio verbali cui in genere si ricorre per nascondere la mancanza di un pensiero originale. L'oratore di oggi avrebbe dovuto essere, in teoria, un sovversivo, ma non aveva assolutamente nulla di nuovo da dire, e comunque nulla che potesse in alcun modo costituire una minaccia per la sicurezza delle forze alleate. Era uno sproloquio interminabile, e fra il pubblico di pastori qualcuno, di tanto in tanto, rompeva il suo abituale silenzio per approvare con un grugnito. Sono rimasto lì per un po', prendendo qualche appunto su cui basare il rapporto. Avevo una sensazione di assoluto isolamento. Inoltre, in un paese dove probabilmente nessun inglese aveva mai messo piede prima, non potevo sperare di passare inosservato, e infatti mi guardavano con una certa curiosità.

Dopo circa un'ora mi sono reso conto che sapevo tutto quello che c'era da sapere sul movimento «Forza Italia!», e tornando dove avevo lasciato il Dodge, in un posto all'ombra, ho avuto la sorpresa di vederlo circondato da una cinquantina di uomini, che mentre avanzavo si sono voltati per affrontarmi. Avevano un'aria ostile. Poco prima, due di loro stavano guardando nel cassone da sopra la ribalta, e quando mi sono avvicinato per vedere cosa fosse successo ho scoperto che quasi metà del pianale era coperto di sangue vischioso, non ancora rappreso, che ho pensato dovesse essere già lì quando avevo lasciato Sagranella. Le implacabili facce neolitiche si stavano avvicinando, e sentivo che da un momento all'altro potevano saltarmi addosso. Aprendomi un varco nella folla, mi sono arrampicato nella cabina e ho messo in moto. Mentre avanzavo fra due muraglie umane, che cominciavano a rumoreggiare e ad agitare i pugni, mi è venuto in mente che forse quei pastori avevano avuto a che fare con qualche squadra della morte dell'esercito tedesco, e vedendomi prendere appunti devono aver pensato che fossi l'equivalente di un aguzzino della Gestapo. Il sangue li aveva poi probabilmente convinti che il camion fosse stato usato per trasportare le vittime di un'esecuzione sommaria. Ho lasciato San Marco inseguito da imprecazioni e da qualche pietra.

Di ritorno a Sagranella, dove i bagordi continuavano, il mistero mi è stato svelato quasi a cuor leggero. Ieri, nel cuore della notte, i canadesi hanno investito un civile amputandogli, più o meno, le gambe, dopodiché se lo sono caricato sul cassone del Dodge, lo hanno portato all'ospedale di Campobasso e lo hanno mollato lì. Nessuno avrebbe potuto essere più sinceramente dispiaciuto di loro, sentendo dell'imbarazzante situazione in cui mi ero venuto a trovare a San Marco.

*11 settembre*

Fintanto che le emergenze della guerra assorbono l'attenzione, Benevento non sembra diversa da qualunque altra città distrutta, ma nei momenti di calma e di riflessione il suo clima riprende il sopravvento, e si avverte una folata di paura.

Verso le undici si è presentato in ufficio uno scugnizzo, dicendo che uno sconosciuto lo aveva mandato a informarmi che avevano appena ammazzato uno a colpi di lupara – il fucile a canne mozze usato negli omicidi rituali – abbandonandolo poi in strada davanti al Caffè Roma. Ci sono andato immediatamente, ma non ho trovato nulla, solo dei rivoletti di sangue sulle pietre, nel punto in cui forse prima poteva esserci stato un corpo. La gente tirava via in fretta, girandosi dall'altra parte. Mi sono avvicinato a un cameriere che stava pulendo un tavolino del caffè per chiedergli se avesse visto o sentito qualcosa di insolito. Ha scosso la testa. Il suo collega dietro il bancone ha fatto lo stesso. Al Vesuvio, a un centinaio di metri dal Caffè Roma, il mio amico Alberto aveva avuto una mattinata assolutamente tranquilla. Così don Enrico, il capitalista, che intorno all'ora del delitto stava bevendosi una tazza di cicoria in albergo. A Lina, la tuttofare, sembrava di aver sentito il rombo di una macchina, ma non ci avrebbe giurato. Tutta questa gente è stata educata al silenzio. Drogati di prudenza, sono abituati a rispondere a domande come queste con un sorriso inespressivo, e a non vedere né sentire nulla. «Ti hanno preso in giro. Se fosse successo qualcosa sarei stato il primo a saperlo» ha detto il maresciallo.

Non ancora soddisfatto, sono tornato dagli scugnizzi, che sembrano non aver paura di nulla, e restano la fonte principale di verità non inquinata. Ne ho interrogati un paio, e tutti e due mi hanno detto che un omicidio c'era effettivamente stato, e che molta gente aveva visto. Anch'io, ora, ne ero certo. Perché volevano gettarmi fumo negli occhi? Un avvio di giornata piuttosto agghiacciante.

*16 settembre*

Bernard Durham, della nostra Sezione, è stato ferito vicino ad Avellino nel corso di una battuta contro i banditi. Il suo aggressore, in divisa da ufficiale americano, è saltato giù da una macchina fermata a un posto di blocco e lo ha colpito alla spalla da distanza ravvicinata con una 45 automatica. È la prima vittima della Sezione. Per fortuna, Durham non è stato ferito in modo grave. Visto che nel rapporto di Peters, il sergente della MP, si denunciava la presenza di un americano a bordo del camion da cui era partita la granata che aveva colpito la sua jeep, può darsi che si tratti della stessa banda che ci ha dato delle noie a Benevento.

Con questa faccenda dei banditi non so come regolarmi: si tratta di decidere se e fino a che punto mi riguardi personalmente. Per quanto nella pratica i miei compiti siano vaghi, io sono qui a Benevento essenzialmente per occuparmi della sicurezza delle truppe inglesi. I banditi – finché non creano fastidi a noi – mi sembrano un problema della Polizia italiana. I canadesi non sono d'accordo, e io posso dar loro suggerimenti, ma non ordini. Cercano la rissa con tutti, e rispondono solo a se stessi. Il sergente Peters, ancora inferocito per la storia della granata, dice di avere l'autorità per intraprendere qualsiasi iniziativa, e sta dalla parte dei canadesi. Il maresciallo Altamura, con gli occhi che gli brillano furbescamente, chiede assistenza per mantenere l'ordine pubblico. Più conosco quest'uomo, più la nostra forzata alleanza mi mette a disagio. In una delle lettere anonime che ricevo quotidianamente lo si accusa di avere rapporti con una delle bande. Se questo è vero, allora è anche probabile che Altamura stia cercando di eliminare un'organizzazione rivale – forse quella che si dice sia controllata dal primo cittadino. Un labirinto di intrighi.

Oggi si è tenuta una riunione per decidere il da farsi. Il maresciallo ha detto di essere stato informato che domani sera i banditi entreranno in città dalla strada di Foggia, con l'intenzione di procurarsi armi ed equipaggiamento. Secondo lui la cosa riguarda anche la Field Security, visto che agenti nemici e sabotatori sfruttano le possibilità di movimento offerte dai banditi per andare e venire nella regione. Si è deciso di istituire un posto di blocco sulla strada di Foggia, e che la FS si occuperà soltanto dei problemi connessi agli spostamenti non autorizzati. Ogni altra iniziativa sarà di competenza della Polizia italiana.

*19 settembre*

Buona parte della giornata trascorsa perlustrando i dintorni di Benevento e le strade in entrata e in uscita dalla città, e raccogliendo dai contatti pareri del tutto contrastanti circa i possibili movimenti dei banditi. Il posto di blocco sarà collocato a cinque chilometri circa dalla città, appena passato il fiume Ufita, dove il ponte è crollato. Questa solitaria strada comunale è una scelta obbligata per tutto il traffico clandestino proveniente dal Sud e dalla costa adriatica.

Per le dieci eravamo in posizione. Una notte tersa – ogni casa e ogni albero si stagliavano sotto una calda, rossastra luce lunare. Il solleone, che durante il giorno faceva terra bruciata, aveva fatto sbocciare piccoli, profumati fiori notturni, e dappertutto nella boscaglia palpitavano le lucciole. I canadesi, appesantiti dall'armamento e dallo Strega, erano in preda a un'eccitazione euforica, i carabinieri nervosamente rassegnati, gli MP inglesi imperscrutabili e corretti. Una forza eterogenea, della quale purtroppo nessuno aveva il comando.

I viaggiatori clandestini non mancavano. Un carabiniere segnalava con la torcia a macchine e camion di accostare ai bordi della strada, e i passeggeri saltavano fuori con le facce imbiancate, come quelle dei clown, dalla polvere della strada. All'incirca uno su dieci era in regola. Gli altri tiravano fuori un mucchio di scartoffie rilasciate da ufficiali alleati non autorizzati a farlo, oppure lasciapassare scaduti, o che non valevano per questo tragitto, o palesemente falsi. Tutti i veicoli trasportavano merce di contrabbando di vario genere, che veniva scaricata con entusiasmo dal maresciallo, in teoria per essere portata, secondo il regolamento, al deposito comunale. Visto che al mercato nero una latta di olio d'oliva costa circa cinquantamila lire, veniva da chiedersi quanto di questo tesoro sarebbe davvero finito all'ammasso. Ci sono state lamentele, offerte di bustarelle, pianti – e, quasi certamente, accordi a mezza voce. A un certo punto mi sono innervosito rendendomi conto che il maresciallo non era più con noi, e poi vedendolo riemergere da dietro i cespugli in compagnia di una giovane signora, che in tutta calma e con un certo compiacimento ha ripreso il suo posto sul camion su cui stava viaggiando.

I canadesi hanno scoperto che le gomme di quasi tutte le macchine erano rubate. Hanno ordinato che venissero smontate sul posto e senza discutere, anche se, temo, non tanto per una zelante difesa dei beni alleati, quanto in base a una buona conoscenza del prezzo – trentamila lire – di ogni pneumatico utilizzabile.

Per nostra grande fortuna, tutta questa gente è stata controllata e poi fatta sgomberare prima che arrivassero i banditi. Saranno state le due o le tre, la luce della luna era ormai piatta e fredda e avevamo cominciato a sbadigliarci in faccia e, per quanto mi riguarda, anche a soffrire di allucinazioni, che si insinuavano nella stanchezza di tre notti insonni. Contrariamente al solito, la nuvola di polvere che segnala un camion in avvicinamento non ci ha messo in allarme. Il camion, che procedeva a forte velocità, ha rallentato in vista della barriera, ha spento i fari, poi ha di nuovo accelerato per togliere di mezzo il carabiniere con la torcia e ha sfondato. Ci è passato davanti in mezzo a una gragnuola di colpi, mentre ci precipitavamo disordinatamente ai nostri posti di combattimento. Quando ha raggiunto l'estremità del ponte crollato, il camion ha piegato da un lato, è sceso con cautela sull'argine, ha arrancato tra i sassi e la debole corrente del fiume, e ha cominciato a risalire l'argine opposto, ormai al riparo dai colpi dei fucili-giocattolo dei carabinieri, e anche dal tiro preciso del Thompson di Peters, il sergente della MP.

L'emergenza aveva sorpreso il Dodge dei canadesi col muso nella direzione sbagliata, e per qualche ragione la mitragliatrice Bren, montata sul suo treppiede, non poteva ruotare di 180 gradi. Il camion dei banditi è rimasto in vista sull'altro argine ancora per pochi secondi prima che riuscissimo a mettere in moto il Dodge e far manovra per poter usare la mitragliatrice. Poi Jason ha sparato freneticamente mezzo caricatore. Abbiamo visto le scintille provocate dall'impatto delle pallottole sul metallo, poi il camion è scomparso lentamente all'orizzonte, e il Dodge è partito alla sua caccia. La nostra attenzione è stata richiamata dall'improvvisa comparsa di un secondo camion, che si è fermato a circa duecento metri dalla barriera distrutta. Abbiamo visto delle figure saltar giù e mettersi al riparo di un oliveto, e abbiamo cominciato a correre verso di loro. Mi sono trovato a fianco una recluta dei Carabinieri, e ho cercato di tenermi vicino a lui. Qualcuno mi aveva messo in mano un Thompson, del cui funzionamento avevo solo una vaga idea. In una sorta di dormiveglia, ero determinato a non uccidere e a non farmi uccidere. La nostra avanzata in mezzo alle file di olivi, che si ripetevano identiche come i motivi di una tappezzeria, era lenta e impacciata. Incespicavamo nelle radici e un paio di volte siamo finiti in canali d'irrigazione in secca, facendo volar via uccelli notturni simili a enormi falene. Poi un negro alto e smilzo è uscito allo scoperto e ci ha affrontato. La sua testa oblunga e triste spuntava dalla giubba di un'uniforme americana, aveva una Schmeisser nell'incavo del braccio destro, e il braccio sinistro che ciondolava come se fosse ferito. Lontano crepitavano gli spari. Il negro, con la mascella penzoloni, saltellando e schivando come un pugile, dirigeva l'arma ora sull'uno ora sull'altro di noi, come per farci segno di andarcene. Ho puntato il Thompson all'altezza della sua coscia, ho premuto il grilletto, ma, con un clic isolato, l'arma si è inceppata. Il giovane carabiniere si è appoggiato su un ginocchio per prendere la mira col suo Carcano a tappi. Ha sparato, e il negro è schizzato all'indietro senza peso, come la sagoma vuota di un tiro a segno; poi, per fortuna, ha cominciato a risollevarsi arrancando sulle braccia e sulle gambe. Ci siamo avvicinati uno da destra e l'altro da sinistra. In cima alla fronte, nel punto in cui la pallottola gli aveva miracolosamente sfiorato il cranio senza perforarlo, c'era una striscia nera, che si perdeva tra i capelli. Barcollava, mostrando il palmo bianco delle mani; il giovane carabiniere gli è saltato sopra e tenendolo a terra lo ha ammanettato. Poi ha tirato fuori un pezzo di catena leggera, l'ha agganciata alle manette, ha rimesso in piedi il negro e lo ha portato via per legarlo a un tronco, proprio come avrebbe fatto con una bicicletta. Il negro si è seduto fra le lucciole e si è preso la testa fra le mani, mentre un rivolo di sangue cominciava a colargli tra le dita. Per tutto il tempo nessuno dei tre ha detto una parola.

Abbiamo udito in lontananza la Bren sparare una lenta, ponderata raffica, e poi silenzio. Un altro carabiniere e un agente di Pubblica Sicurezza, che indossava un doppiopetto da passeggio, si sono materializzati dal nulla tra le foglie e nel chiaro di luna, per dirci che i banditi in fuga si stavano nascondendo nelle case dei contadini. Una di queste riluceva in fondo all'oliveto come una figurina di carta. Abbiamo lasciato il negro incatenato e ci siamo diretti di corsa alla casa. Un vecchio con la barba in camicia da notte, spaventato e confuso, ci ha fatto entrare. Era una stalla umana, con letti dappertutto, e l'odore penetrante delle capre, rannicchiate dietro bassi muretti divisori sui loro giacigli di paglia impregnati di urina. L'agente di PS si aggirava buttando all'aria le coperte e illuminando con la torcia facce di uomini e donne che fingevano di dormire; sulle travi sopra di noi, i polli, disturbati nel sonno, sbattevano le ali per mantenersi in equilibrio.

«Chi è questo qui?» ha chiesto l'agente.

«Mio nipote, volete dire?» ha risposto il vecchio.

L'agente lo ha preso per la gola e lo ha schiaffeggiato più volte, senza troppa rabbia né forza.

«In culo a mammeta! No, non dico tuo nipote. Perché questo qui è vestito dalla testa ai piedi? Perché sanguina?».

«Sanguina, eh?».

«Sì che sanguina. Madonna mia, c'è sangue dappertutto. Guarda qui, perdio, il pavimento è pieno di sangue!».

L'agente ha puntato la torcia ai nostri piedi, poi si è chinato per immergere la punta del dito in una piccola pozza nerastra. «Questo» ha detto «è sangue».

Il vecchio si è raddrizzato, e ha parlato con dignità. «Un uomo viene a casa mia di notte, mi dice che è stanco e che vuole un letto. Io non faccio domande. Siamo cristiani».

L'uomo nel letto, capendo che ormai il gioco era finito, ha cominciato ad agitarsi e a gemere. Guardandolo più da vicino abbiamo visto che era stato colpito due volte a una gamba. L'agente lo ha ammanettato al letto, ha detto al vecchio di vestirsi e di venire con noi, e siamo usciti per cercare gli altri.

Al posto di blocco abbiamo ritrovato i canadesi,

gli MP e il maresciallo, riuniti. I canadesi avevano distrutto il camion dei banditi, che però erano riusciti a fuggire quasi tutti. Comunque, avevamo fatto otto prigionieri - due dei quali feriti, compreso il nostro negro, che era un disertore americano - senza subire perdite. Uno dei prigionieri, un bel ragazzo sui diciotto anni con un sorriso contratto dalla paura, aveva una grossa somma di denaro addosso, e Jason se ne è uscito con una proposta incredibile. Voleva che lo autorizzassi a trascinare il ragazzo in un posto appartato per ucciderlo e prendergli i soldi. Sul momento non sono riuscito a capire se si trattasse di uno stupido scherzo, oppure se la proposta, buttata là fra il serio e il faceto, avesse lo scopo di saggiare le mie reazioni. Con tutta la sua irruenza, Jason mi era sempre sembrato un buono, ma ora mi spaventava. Cominciavo anche a pensare che dovevo districarmi al più presto possibile dalla situazione che si era creata a Benevento.

*20 settembre*

Un brutto avvio di settimana. Sono andato all'ammasso, senza riuscire a trovare la prova che dopo il sequestro della notte scorsa vi siano state depositate soltanto quantità insignificanti di olio d'oliva. Il responsabile era ora ambiguo ed evasivo, ora ostile, e più tardi, messo alle strette sull'argomento, anche il maresciallo è rimasto sulle sue. Quando gli ho chiesto che fine avessero fatto gli pneumatici confiscati, ha detto che non ne aveva la minima idea, e poteva solo supporre che se ne fossero occupati i canadesi. Cosa che questi negavano. Il maresciallo voleva regalarmi un vistoso orologio, e quando ho rifiutato si è offeso. In questi ultimi giorni sembra che la sua abituale cordialità si sia raffreddata.

Sto cominciando a pensare che l'atteggiamento sempre più sostenuto del maresciallo rifletta una più generale trasformazione dei sentimenti della cittadinanza. Gli amici che mi sono fatto sono tutt'a un tratto diventati eccessivamente formali, escludendomi anche da quella esigua porzione dei loro pensieri privati cui prima avevo accesso. Una critica esplicita sarebbe inconcepibile, ma mi è già stato detto, nel modo più indiretto possibile, che l'arresto del fattore De Micco, colpevole di aver dato asilo al bandito ferito, ha incontrato la riprovazione generale. «Chi non avrebbe fatto lo stesso?». Sospetto che la gente ci consideri – i canadesi, gli MP e me – dei burattini nelle mani del maresciallo, e che in cuor suo disprezzi la debolezza e la cecità di cui abbiamo dato prova lasciando che questo accadesse.

Il fatto è che noi abbiamo sconvolto l'equilibrio della natura. Per quanto mi riguarda, sono stato rigido quando avrei dovuto essere flessibile. Qui la Polizia – per quanto corrotta e tirannica – e la popolazione civile giocano lo stesso gioco, che ha regole complesse; io non le capisco, e per questo perdo il rispetto della gente. Chiunque venga in ufficio per un permesso di viaggio mette sul tavolo una banconota da cento lire, che io rifiuto. Quello che nella mia posizione non posso e non devo ammettere, è che questa gente non mi sta offrendo quella che a me sembra una bustarella, bensì sta compiendo un normale gesto di cortesia. È un sistema tribale africano, in cui ogni persona perbene trova normalissimo fare doni e riceverne. Il mio predecessore, più flessibile di me, distribuiva regalie secondo la lista che mi ha lasciato. Io non lo faccio, e questo li ha probabilmente portati a pensare che sono maleducato e avaro. Per questa mia incapacità di scambiare doni rituali ho quasi certamente perduto degli amici.

Probabilmente sto facendo troppo chiasso per le

gomme e l'olio d'oliva scomparsi; ho il sospetto che queste cose non vadano fatte così. Per conservare la mia posizione e il rispetto credo che dovrei dimenticare l'intero episodio, ammettere sportivamente la sconfitta e non creare problemi a quelli – e sono molti – che hanno beneficiato di questo insperato colpo di fortuna.

*23 settembre*

Ho lasciato i canadesi nella loro roccaforte di Sagranella per tornare all'Albergo Vesuvio, dove questa sera ho ricevuto un'avvilente conferma dei miei timori di venire ormai considerato un potenziale – o un vero e proprio – iettatore. Durante il mio primo soggiorno in albergo avevo notato che don Enrico, insediato nella sua poltrona di vimini in una posizione dalla quale poteva tenere sotto osservazione chiunque entrasse o uscisse, di tanto in tanto, alla comparsa di uno sconosciuto, si frugava in tasca per toccarsi i testicoli. Si tratta, mi aveva spiegato don Ubaldo, di una precauzione diffusa in tutto il Meridione, ma spesso adottata anche da quelli del Nord, Mussolini compreso, per scacciare il malocchio. In un paio di occasioni, la settimana scorsa, ho notato che le donne al mio avvicinarsi si sono frettolosamente coperte il volto con uno scialle o con un velo, e sono sgattaiolate via voltandosi dall'altra parte. A quanto pare, questo è il modo femminile di risolvere il problema. Stasera, entrando in albergo, ho trovato una mezza dozzina di clienti abituali – tra i quali don Enrico – seduti in fila sotto le palme, e mi è parso di notare un leggero movimento di tutte le mani sinistre in direzione del lato destro del cavallo dei pantaloni. Una sconcertante conferma della mia caduta in disgrazia.

Comunque, accantonando ogni questione sui

miei errori personali, sono arrivato alla conclusione che, in cuor suo, questa gente non deve poterne proprio più di noi. Un anno fa li abbiamo liberati dal Mostro Fascista, e loro sono ancora lì, a fare del loro meglio per sorriderci educatamente, affamati come sempre, più che mai fiaccati dalle malattie, circondati dalle macerie della loro meravigliosa città, dove l'ordine costituito non esiste più. E alla fine, cosa ci guadagneranno? La rinascita della democrazia. La fulgida prospettiva di poter un giorno scegliere i propri governanti in una lista di potenti, la cui corruzione, nella maggior parte dei casi, è notoria, e accettata con stanca rassegnazione. In confronto, i giorni di Benito Mussolini devono sembrare un paradiso perduto.

*25 settembre*

Neil Armstrong, sulla strada del ritorno per Bari, ci ha portato messaggi dal Comando. Sono passati diciotto mesi da quando ci siamo separati in Tunisia, e da allora lui si è fatto tutta la campagna d'Italia, a cominciare dalla Sicilia. Rivedendolo, mi sono reso conto di come sia profondamente cambiato, di come il Mezzogiorno d'Italia si sia impadronito di questo inglese fino a renderlo irriconoscibile. Ormai lo potrei scambiare per un italiano con addosso un'uniforme britannica, uno di quegli uomini scarni e silenziosi che si esprimono con grugniti carichi di significato e torniscono i pensieri con le mani, come vasai alla ruota. Ci siamo portati le sedie di vimini all'ingresso dell'albergo e abbiamo osservato la scena di Benevento sorseggiando un marsala mentre ci preparavano il pranzo, rigorosamente di borsa nera. Il sole crepitava sui muri. Un uomo che incredibilmente, in questa terra riarsa dalla siccità, campava riparando ombrelli, passandoci davanti ha emesso quel grido disperato che è il richiamo del suo mestiere. Il più elegante carro funebre della provincia – tutto scolpito di angeli e putti d'oro e d'argento – è passato rimbombando, trainato da otto cavalli neri, per andare a raccogliere qualche vittima della pestilenza. Due scugnizzi davano la caccia a un gatto zoppo, la cui morte avrebbe regalato alle loro magre esistenze un breve divertimento.

Ci siamo raccontati un po' di storie, vantandoci dei gravosi oneri che ci toccavano nei rispettivi luoghi d'esilio. Ho citato il caso del cadavere scomparso davanti al Caffè Roma. «Eh già» ha detto Armstrong in italiano, con una di quelle espressioni che di per sé non significano nulla e vengono usate come generico commento, ma esprimono comunque fatalismo. Ho osservato quello che un tempo era uno schietto volto inglese, e che un anno di isolamento nel tallone d'Italia ha trasformato in una straordinaria maschera di diffidenza e scetticismo. Quando uno dei clienti è uscito e ci è passato accanto mormorando un educato «ossequi», Armstrong ha prudentemente girato lo sguardo dall'altra parte e, benché la sua mano non si sia mossa, quasi mi aspettavo annaspasse in cerca dei testicoli.

Armstrong è giunto alla conclusione che Benevento, in confronto a Bari, è un buco, e gli spiaceva vedermici marcire. Le città del profondo Sud hanno subìto meno danni dalla guerra, e dato che le fognature non hanno mai smesso di funzionare si sono registrati solo pochi casi di febbre tifoide e di vaiolo, che hanno invece flagellato il Napoletano. Anche laggiù, come qui, si ammazzano a vicenda per motivi che conoscono solo loro, ma Armstrong ha imparato a non farsi coinvolgere in faccende del genere, e anche a convivere coi marescialli dei Carabinieri, pur riconoscendo che pochi di loro hanno il potere sinistro di Altamura.

C'erano due messaggi per me: una richiesta di informazioni circa le attività del maresciallo Altamura, da trasmettersi al maggiore Pecorella a Napoli, e l'ordine di indagare su una presunta violenza carnale.

Nel leggere che questa era stata commessa da un non meglio identificato militare delle forze alleate, mi è preso un colpo. Se un soldato aveva stuprato una donna a Benevento, era molto probabile che si trattasse di uno dei canadesi. La signora, una certa Irene Imbrosi, abitava in un appartamento di corso Umberto, in un palazzo in cui gli uomini facoltosi sistemano le loro amanti. Mi ha ricevuto in una stanza bene arredata, alla quale le molte statuine di santi e un brutto modello in argento del Duomo di Milano conferivano un'atmosfera pia. È una donna dall'aspetto maestoso, nel più puro stile del Sud, con una cascata di capelli neri, gli occhi da attrice drammatica, e quell'espressione ingenua che completa il bagaglio di ogni prostituta di classe.

Nella denuncia c'era qualcosa di misterioso, che sembrava sfidare i pregiudizi di qui. In questa parte del mondo lo stupro è un fatto quasi normale, e non necessariamente una tragedia per la vittima. In alcune grandi tenute le contadine vengono violentate dai loro sorveglianti ogni santo giorno della settimana. Si dice che un conte della zona offra le sue lavoranti a tutti gli ospiti di sesso maschile che visitano i suoi possedimenti per una cavalcata o una partita di caccia, alla sola condizione che non le guastino con regali in denaro. Ciò che conta, per le ragazze, è riuscire a nascondere l'accaduto, in modo da evitare un crollo delle quotazioni sul mercato del sesso. Perché allora Irene aveva raccontato la propria esperienza al suo amante, un barone che possiede mezzo milione di olivi e che, scavalcando le autorità locali, era andato a protestare direttamente all'AMG di Napoli?

La versione di Irene era che un soldato sconosciuto l'aveva vista per strada e seguita fino a casa, poi si era introdotto con la forza nell'appartamento dicendo di avere un mandato di perquisizione, aveva trovato delle coperte militari nascoste, e quindi l'aveva violentata. «Tutti hanno delle coperte militari» ha detto Irene. «Non c'è un solo appartamento in questo palazzo in cui non ne trovereste». Ed era vero.

Le ho chiesto se avesse segni sul corpo da mostrare eventualmente a un medico, come prova dell'avvenuta violenza, ma lei mi ha risposto che le pareva di non averne.

Al ricordo dell'oltraggio subìto non sembrava provare vero risentimento, e la sua indignazione era poco convinta. Non era in grado di descrivere il suo assalitore in modo da rendere possibile un'identificazione. La descrizione dell'uomo che l'aveva aggredita, trascinata in camera e gettata sul letto, era né più né meno quella che il 3° Distretto ci forniva di individui anonimi sospetti, perché la trascrivessimo nel Libro Nero: altezza, età, corporatura e colori medi. Non era neppure sicura se avesse i baffi oppure no. Ha ripetuto due volte: «Non voglio mettere nei guai nessuno», e questo mi ha costretto a ricordarle la gravità dell'accusa.

Alla fine le ho chiesto cosa l'avesse spinta a parlare dell'aggressione al barone, e dopo qualche attimo di imbarazzo, qualche risposta evasiva e contraddittoria, la verità ha cominciato a venire a galla. Si è scoperto che lo stupro non era stato una faccenda del tutto spiacevole, e si era protratto per alcune ore, e che il barone, che quel pomeriggio aveva improvvisamente deciso di passare dalla sua amica, era arrivato sulla scena solo pochi minuti dopo che il militare si era tirato su i calzoni e se n'era andato per la sua strada. Notate le condizioni della camera, e poi quelle del letto, il barone era stato costretto a trarne le conclusioni. Da uomo pio e religioso – è un leader del nascente Partito democristiano –, il barone aveva preso per buona la versione fornitagli da Irene della disavventura, non aveva fatto domande e non le aveva rimproverato nulla, ma non se l'era sentita di continuare la relazione. Per buon cuore, ha detto Irene, aveva avanzato una proposta, e cioè che, se si fosse riusciti a rintracciare il soldato in questione e a convincerlo a prenderla in sposa, lui avrebbe saputo essere molto generoso con loro.

Questa dunque, in breve, la situazione. Se un qualsiasi soldato presentabile si fosse lasciato convincere a farsi avanti, confessare lo stupro di Irene, e accettarla in moglie, avrebbe potuto avere, oltre alla splendida sposa, un regalo di nozze di duecentocinquantamila lire. Di qui la determinazione di Irene a non fornire una descrizione che avrebbe potuto non coincidere con quella di un eventuale candidato accettabile.

Tutto questo ha l'aria di un piano escogitato dal barone per troncare la relazione in modo garbato, e con la coscienza a posto. A Benevento può accadere di tutto.

*6 ottobre*

Dopo alcune visite per servizio a Ischia e a Roma oggi sono tornato a Napoli, e sono di nuovo alla Riviera di Chiaia, dove resterò fino a nuovo ordine. Ho trovato moltissimo lavoro arretrato. Il fatto è che siamo troppo pochi per poter essere dispersi fuori città come è successo finora. Inoltre, la Sezione è stata fiaccata dalle malattie – Moore ha l'epatite, e Parkinson una misteriosa infezione cronica al fegato. Entrambi, tuttavia, lavorano con l'impegno di sempre. Altri due membri della Sezione soffrono di una grave depressione, e io sono reduce da un terzo attacco di malaria.

Il superlavoro ha sicuramente contribuito a questo generale peggioramento delle condizioni di salute. La stranezza e l'eccitazione di questa vita, il fascino di questo continuo e legalizzato spiare l'umanità dal buco della serratura, ti portano a lavorare senza guardare l'orologio. Spesso mi sono trovato assorbito dalle attività della Sezione anche per quindici ore al giorno, e negli ultimi tempi, in tre occasioni diverse, mi sono addormentato al volante - una volta alle due del mattino, alla guida del Dodge dei canadesi, col quale sono finito su uno spartitraffico di Napoli e ho divelto un lampione.

Novità da Benevento. Per ordine del maggiore Pecorella il maresciallo Altamura è stato accusato di irregolarità e costretto a ritirarsi dal servizio attivo - certo con grande sollievo di quella martoriata città.

*8 ottobre*

Oggi si è verificato un episodio molto imbarazzante. Bande di ragazzi si erano radunate nei giardini di Villa Comunale, su cui si affacciano le finestre del nostro palazzo, e avevano cominciato ad aggredire le ragazze trovate in compagnia di militari alleati. Le inseguivano per i giardini, e quando riuscivano a prenderne una le strappavano le mutande. I soldati che intervenivano per difendere le loro ragazze venivano prontamente malmenati. Noi avevamo sentito grida in lontananza, intravisto figure che correvano, ma niente di più. Pochi minuti dopo, il 3° Distretto ha telefonato all'FSO ordinandoci di scendere in strada per ristabilire l'ordine. Ancora una volta è evidente che nessuno sa quale sia realmente il nostro ruolo. Stavolta, a quanto pare, eravamo considerati una specie di versione annacquata delle SS. Eppure ci è stato ripetuto infinite volte che non dobbiamo assumerci compiti che spettano alla Polizia italiana.

Al Comando, quando è giunto l'ordine di armarci di mitra Thompson, scendere in strada e fare tutto il necessario, eravamo in quattro. I mitra sono arrivati qualche settimana fa, dopo che avevamo affrontato la parte operativa della campagna con le nostre pistole e le nostre cinque cartucce a testa. Nessuno ha mai sparato un solo colpo, né con la pistola né con il mitra, che sono stati esaminati con un certo rispetto al momento della consegna, poi messi via e dimenticati. Adesso a noi quattro rimasti incastrati in questo impiccio toccava afferrare una di queste armi imponenti, controllare che fosse carica, cercare di ricordarne il funzionamento e infine compiere una sortita alla Riviera di Chiaia, cercando di somigliare ad altrettanti Al Capone in versione militare inglese, pronti tuttavia a imboccare il più vicino vicolo e dileguarci al primo segnale di guai.

Fortunatamente per noi, di guai nemmeno l'ombra. Ci siamo avvicinati alla zona pericolosa con estrema cautela, sfruttando al massimo il riparo offerto dai tronchi degli alberi, dai cespugli e di tanto in tanto dalle statue, ma non abbiamo visto altro che la scena tranquilla e serena che ci si augurerebbe di trovare in qualsiasi giardino pubblico in un pomeriggio di sole. La tempesta era passata. I venditori di dolci e noccioline avevano tranquillamente ripreso possesso delle loro bancarelle. Tutte le attività del mercato nero locale, compresa la vendita di sigarette americane e di indumenti e cibo dell'esercito, proseguivano come sempre, né più né meno. Una governante, che indossava un'incredibile uniforme vittoriana, con tanto di cuffietta e guanti bianchi, stava giocando a palla con una bambina tutta nastri e fiocchi come una bambola, e un negro americano, ubriaco, dormiva in un'aiuola. Potevamo tornarcene a casa.

L'incidente ha messo in luce come l'intrusione della presenza alleata nella vita sentimentale e amorosa della città stia provocando una situazione spiacevole, e destinata a deteriorarsi. Napoli, il più grande paese del mondo, è divisa in molti paesi più piccoli, i rioni, che sono, in realtà, altrettante enormi famiglie. In ciascuno, ogni abitante conosce letteralmente tutti gli altri; le condizioni economiche e la storia di ciascuna famiglia sono di dominio pubblico. I matrimoni, in linea di massima, si celebrano all'interno del rione, e in alcuni casi - per esempio il quartiere dei pescatori, il Pallonetta di Santa Lucia - i giovani di entrambi i sessi non sposano praticamente mai uno di fuori. Ogni rione ha la sua rete di rapporti, le sue tradizioni, la sua struttura sociale, e fidanzamenti e matrimoni sono questioni che coinvolgono la collettività.

Poi sono entrati in scena i soldati stranieri, fin dal primo momento in collisione con i ragazzi del posto, che non hanno né lavoro, né prestigio, né soldi, assolutamente nulla da offrire alle ragazze. Un soldato britannico, per quanto misera sia la sua paga, guadagna più di un caporeparto della Navale Meccanica, mentre le entrate di un militare americano - che può spargere intorno a sé una pioggia di sigarette, caramelle, e persino calze di seta - sono superiori a quelle di qualsiasi impiegato italiano di Napoli. La tentazione è molto forte, e poche paiono capaci di resistere. Così il lungo, delicato, elaborato corteggiamento napoletano - complesso quanto il rituale amoroso di un uccello esotico - è stato rimpiazzato da un approccio brutale e muto, e da un puro e semplice atto di compravendita. C'è da chiedersi quanto tempo impiegheranno i giovani di Napoli, dopo che ce ne saremo andati, per riprendersi da questa amara esperienza.

La settimana scorsa, un giovane soldato americano di origine polacca si è presentato al nostro Comando dicendo di essere appena stato a una festa a Marechiaro, dove un tale che si spacciava per ufficiale polacco secondo lui era una spia, perché si capiva benissimo che conosceva poco la parte della Polonia dove diceva di essere nato. L'ho riportato alla festa sulla macchina dell'FSO, siamo entrati e abbiamo parlato con il sedicente ufficiale. Probabilmente era davvero una spia, ma ho pensato che fosse meglio lasciar perdere, perché se lo avessi arrestato e si fosse poi scoperto che ero in errore, la collera dell'esercito polacco si sarebbe riversata tutta sulla mia testa, e solo sulla mia.

Abbiamo quindi preso la via del ritorno. Dopo pochi metri l'americano ha detto: «Ho voglia di una donna. Perché non proviamo in quella casa lì?». Mi ha mostrato il suo zaino pieno di scatolette di carne, chiedendomi di farlo scendere davanti a un caseggiato qualsiasi – ce n'erano una decina. Ho aspettato mentre suonava il campanello e faceva la sua proposta a chi era venuto alla porta. Poi mi ha fatto cenno che potevo andare, ed è entrato.

*10 ottobre*

A Napoli, in settembre, c'è quasi sempre qualche giorno di pioggia torrenziale. Ne beneficiano i campi che, in ottobre, ricoprono con nuova, robusta erba la bruna desolazione estiva. Il sole di ottobre dà al paesaggio colori cupi, intensi, ma il gran caldo se n'è andato. In questo periodo dell'anno i napoletani usano andare in gita con la famiglia appena possono. Queste escursioni nelle belle, fresche, frizzanti giornate autunnali si chiamano ottobrate. I boschi sono pieni di castagne, i funghi spuntano dalla terra umida, e tra l'erba nuova crescono piante commestibili come i denti di leone e la piantaggine, che si usano nelle insalate. Migliaia di persone – soprattutto durante il fine settimana – vanno fuori città alla ricerca di queste prelibatezze selvatiche. È anche il periodo di passo di piccoli uccelli migratori diretti verso sud, a svernare in Africa, e non esiste volatile abbastanza insignificante da sottrarsi all'interesse dei cacciatori sdraiati in attesa, con reti e fucili, nei campi e nei frutteti che circondano la città.

Ieri, domenica, l'ingegner Crespi, col quale sono rimasto in buoni rapporti dopo l'episodio della fuga di notizie su Anzio, mi ha invitato a partecipare a una spedizione di famiglia al Lago di Patria, a una quindicina di chilometri sulla costa a occidente di Napoli, il cui obiettivo era raccogliere funghi e verdure da insalata, e tentare la fortuna con gli uccelli di passo. Siamo andati con due macchine, l'ingegnere, suo figlio Andrea, che ha diciotto anni, e io in una, e la signora Crespi, un suo nipote e la moglie nell'altra. Dato che si prefiggevano di sparare alle anatre – o, non ce ne fossero state, a qualsiasi cosa volasse – Crespi e suo figlio portavano, chissà perché, knickerbocker verdi e cappelli da alpino. La signora Crespi indossava un completo scozzese dal disegno molto ardito, che veniva da Milano. Lei e il suo gruppo cercavano piante e funghi, e per evitare di confondere i funghi commestibili con quelli velenosi di aspetto simile avevano con sé, arrotolato, un enorme manifesto a colori col quale operare raffronti sul campo.

Siamo arrivati al lago in meno di un'ora, incontrando sulla strada altre famiglie già al lavoro nei campi a cogliere denti di leone e riporli in sacchetti di carta. L'autunno scorso, quando i tedeschi si erano ritirati sulla linea del Volturno, la zona era stata teatro di combattimenti, e non si era sparato alle anatre. Tutti speravano per questo in una buona caccia. La signora Crespi e il suo gruppo sono stati lasciati ai bordi di una piccola pineta; il nipote aveva già individuato alcuni funghi gialli e lucenti, e tutti e tre vi si stavano dirigendo di corsa, manifesto alla mano, lanciando gridolini di felicità. Noi abbiamo proseguito per circa un chilometro e mezzo, fino alle rive del lago.

Qui le prospettive sembravano scoraggianti. Ci siamo appostati, i Crespi che imbracciavano i loro magnifici fucili, in prossimità della superficie dell'acqua, tersa come uno specchio appena lucidato. Un altro gruppo di cacciatori ha fatto capolino sulla sponda opposta del lago, per poi sparire di nuovo. È arrivato un contadino che si è offerto di mostrare a Crespi dove si potevano catturare delle rane commestibili, ma abbiamo declinato l'offerta. Il lago era circondato da canneti che Andrea era fermamente deciso a esplorare. Si è allontanato, e lo abbiamo rivisto dopo un'ora circa, sporco di fango fino alle ginocchia: reggeva una manciata di penne attaccate a due zampe verdi, quanto rimaneva di una gallinella d'acqua. Un successone. Padre e figlio, raggianti, si sono abbracciati. Una gallinella non era un'anatra, ma poco ci mancava.

Andrea si è ripulito come ha potuto e siamo tornati dove avevamo lasciato il resto della famiglia, che con i funghi non se l'era cavata male. Ne avevano raccolti un discreto numero, raschiandoli dai tronchi o scovandoli traditi dai loro colori squillanti, sul nero degli aghi di pino marci. Alla vista della gallinella c'è stata un'esplosione di gioia, e baci e ancora abbracci per Andrea da parte delle signore. Dopodiché i cercatori di funghi sono stati nuovamente abbandonati, e abbiamo percorso una strada dissestata per raggiungere una postazione particolarmente buona che Crespi conosceva. Si trattava, ha detto, di uno di quei posti dove sembra che gli uccelli migratori prediligano sostare e compiere qualche breve volo, come per fare il punto della rotta. Ha poi raccontato che c'è gente che si porta fin lì certi alberelli coperti di vischio, e li pianta nel terreno con la certezza di fare buona caccia – anche se lui non vede dove stiano il divertimento o l'abilità, in una tecnica del genere. Il suo strumento preferito è una diavoleria che trasporta in pezzi nel bagagliaio della macchina. Una volta montato, sembra un modellino di trivella petrolifera con appiccicati in differenti angolature, sulla sommità girevole, degli specchietti, i quali muovendosi attraggono la curiosità degli uccelli di passo, portandoli a tiro.

Il marchingegno è stato collocato nei pressi di un cespuglio isolato che gli uccelli, stanchi e incuriositi, avrebbero senz'altro scelto per sostare. Andrea ha teso le cordicelle fissate alla testina girevole fino al punto in cui noi ce ne stavamo nascosti dietro l'auto nella strada infossata, e le ha legate a una bobina che serviva a tenere in movimento l'arnese. Ci trovavamo al centro di un grande campo, circondati da ciuffi di asfodeli in fiore che spuntavano dall'erba, e a poca distanza dai rottami anneriti di un semicingolato tedesco. La nostra prima preda è stata un'allodola, tirata giù dal cielo come se fosse stata risucchiata da un magnete e abbattuta dall'impeccabile mira di Crespi. Poi sono seguiti zigoli, altre allodole, culbianchi, stiaccini, capinere e cinque o sei bei passeri solitari grigioverdi, che avranno pesato quindici grammi, tutti apparentemente intatti grazie ai minuscoli pallini, appositamente preparati, con cui Crespi aveva riempito le sue cartucce per questo eccidio di precisione. Pur venendo dal Nord, questi uccelli avevano un aspetto leggermente diverso da quello delle specie inglesi corrispondenti. Solo un cardellino locale, che si è posato su un cespuglio con un breve trillo musicale prima di venire trucidato, mi era del tutto familiare.

Alla fine il carniere conteneva diciotto cadaverini, per un peso complessivo di cinque etti scarsi. Crespi lo considerava un successo, che ricompensava ottimamente della fatica e della spesa in cartucce. La passione per la caccia, ha detto, può venire persino prima della ricerca dell'amore, ed è altrettanto aliena da calcoli di profitti e perdite. Carlo di Borbone spese l'equivalente di molti milioni di sterline per costruire la sua reggia proprio a Capodimonte, perché la collina era sulla rotta migratoria dei beccafichi, e una volta finito il palazzo si era dovuta costruire una strada per Napoli, costata un altro paio di milioni. Secondo stime del tempo, ha detto Crespi, ogni uccellino mangiato dai regali cacciatori costava alla nazione un migliaio di ducati.

Ci siamo ricongiunti al resto della famiglia che si trovava ai bordi del bosco, e abbiamo fatto un picnic a base di salame, mortadella e mozzarella; quest'ultima, mi è stato garantito, era prodotta con il latte delle bufale allevate negli acquitrini del Volturno, e imitava, nell'aspetto e nella consistenza gommosa e venata, i testicoli dell'animale maschio. Poi, ebbri di successo, siamo tornati a Napoli. È stata, a detta di tutti, un'ottima giornata di caccia. Mi sono sottratto con garbo a un invito a cena per la sera.

*16 ottobre*

Molte settimane di duro lavoro da parte di Robert Parkinson sono culminate, oggi, in un'operazione condotta all'ospedale femminile Pace.

Il contatto più prezioso di Parkinson a Napoli è il professor Placella, il ginecologo specializzato nel restauro della verginità perduta di tutte quelle donne che se lo possono permettere, e che è anche consulente dell'ospedale. Sa il cielo cosa avrà mai fatto Parkinson per Placella, che come ogni altro napoletano, quando un caso riguarda un proprio collega, obbedisce alle leggi dell'omertà. Sia come sia, Parkinson ha strappato al professore un'imbeccata, o quanto meno un indizio, che spiega le ragioni del nostro insuccesso nella lotta contro l'epidemia di malattie veneree.

Oggi pomeriggio, MP americani e inglesi hanno fatto irruzione in decine di circoli, balere e bar – persino nei caffè della Galleria –, arrestando tutte le donne che hanno trovato e portandole al Pace per sottoporle a esami. Era già accaduto in passato, ma su scala minore e con minor determinazione. La procedura consiste in un prelievo di secrezione vaginale, dopodiché le donne che risultano sane vengono immediatamente rilasciate, mentre quelle affette da malattie veneree sono ricoverate a forza per il periodo necessario al trattamento ospedaliero.

Con l'aiuto di Placella era stata preparata una trappola, ma, data l'importanza del caso, Parkinson ha ritenuto utile avere questa volta dei testimoni, e mi ha invitato a partecipare. Siamo andati all'ospedale, dove ci hanno fatto entrare con discrezione da un ingresso sul retro, abbiamo indossato un camice da chirurgo sopra l'uniforme, e siamo stati quindi presentati al sorridente e cerimonioso vicedirettore dell'ospedale come un gruppo della Sanità inglese che stava compiendo una normale ispezione per accertarsi dei metodi adottati nell'esame dei presunti casi di malattie veneree.

Gli esami dovevano aver luogo in un enorme stanzone con una fila di lettini ginecologici. Eravamo appena entrati, e ci eravamo uniti ai medici italiani dell'ospedale, quando le donne hanno cominciato ad affluire nella stanza, come pecore sospinte in una vasca di disinfezione. Quasi tutte erano vestite in modo decoroso, e questo pareva rendere ancora più grave l'umiliante trattamento che stavano per subire. L'operazione si è svolta con il ritmo di una corrida. Le prime sei donne, alcune delle quali protestavano fra i singhiozzi, sono state fatte venire avanti, è stato loro ordinato di togliersi le mutande, di alzare la gonna, e di sistemarsi nei lettini, con le gambe imprigionate nelle staffe, sollevate e divaricate in modo grottesco. Alla porta un gruppo di donne sempre più numeroso discuteva concitatamente. Fra di loro, si riconosceva subito qualche mantenuta ingioiellata, e qualche entraîneuse, ma tutte le altre, con le loro borse della spesa al braccio, sembravano giovani massaie; c'erano anche molte giovanissime, sicuramente vergini. Cresceva il sospetto che gli MP, in un eccesso di zelo, non si fossero fatti scrupolo di fermare ragazze a caso per strada.

I medici si sono messi all'opera con specoli e divaricatori, mentre nella grande, nuda, sudicia stanza risuonavano i pianti. Parkinson, Placella e io passavamo scrupolosamente in rassegna le pudenda esposte, annuendo in segno di approvazione per il lavoro, poi attendevamo che un'altra fila di vittime, con le mutande in mano e le guance rigate di lacrime, prendesse posto, e quindi rifacevamo il percorso. Di tanto in tanto Placella si fermava, con un'esclamazione di finto stupore, per mostrarci qualche piaga particolarmente rara. Un'esperienza lugubre e davvero deprimente.

La buona riuscita del piano dipendeva dalla conferma della teoria di Parkinson, secondo la quale due prostitute note come sifilitiche, che si aveva avuto cura di includere nella retata, sarebbero riuscite a corrompere qualcuno e a farsi dimettere. E così è stato. Subito arrestate, hanno ammesso senza difficoltà di essere state avvicinate, come altre donne infette, da un inserviente dell'ospedale conosciuto nei bassifondi di Napoli come «sciacquapalle». Per diecimila lire, da versare per suo tramite al vicedirettore dell'ospedale, l'uomo provvedeva al rilascio di un certificato di buona salute.

Il professor Placella ritiene che con questo sistema siano state dimesse dal Pace circa tre prostitute al giorno, ciascuna delle quali potrebbe essere responsabile di qualcosa come cinquemila nuovi casi di malattie veneree all'anno. Grazie agli sforzi di Parkinson, questa falla verrà tamponata. Abbiamo battuto a macchina i documenti per l'arresto del vicedirettore, cui procederemo domani. I tedeschi lo fucilerebbero, e farebbero bene. Sta di fatto che il vicedirettore è riuscito a procurarsi amicizie e appoggi all'AMG, ormai quasi interamente corrotto, per cui a tempo debito verrà processato e, quasi certamente, assolto.

*20 ottobre*

Mi preoccupa il numero crescente di richieste di matrimonio con donne italiane avanzate da ufficiali o da subalterni. Gli ufficiali devono sapere che sarà fatto tutto il possibile per scoraggiare unioni di questo genere, poche delle quali si risolvono felicemente, o addirittura sopravvivono per più di un breve periodo. Le statistiche dell'ultima guerra in fatto di matrimoni con stranieri dimostrano che solo il 5% di essi è riuscito. Non c'è ragione di sperare che stavolta i matrimoni internazionali si riveleranno più soddisfacenti. Visti i sentimenti ancora più amari che questa guerra ha suscitato, è più probabile il contrario. Dopo l'ultima guerra ci sono stati molti casi di uomini che, non potendo più sopportare l'infelicità di mogli e figli, sono andati a vivere nel paese d'origine delle donne che avevano sposato, in genere pentendosene per il resto dei loro giorni. In tutti questi casi, erano state le mogli a costringerli a farlo. È dovere di ogni ufficiale proteggere le nostre truppe dai naufragi matrimoniali. Bisogna far presente ai soldati che essi non hanno una sicurezza da offrire alle loro mogli. In questo momento sono funzionari del governo, e il loro futuro dipende dal fatto di riuscire a trovare o meno un lavoro fisso e decoroso nella vita civile. A partire da questi presupposti, nessuno può sposarsi impunemente. Molte sono ancora le differenze, per quanto trascurabili in sé, come i gusti culinari diversi, che militano strenuamente contro la felicità.

Questa circolare emessa dal Comandante del 3° Distretto, e datata 5 settembre 1944, è probabilmente il vero motivo dell'improvvisa interruzione delle mie indagini sulle richieste di matrimonio tra soldati inglesi e ragazze italiane nel Napoletano. Nei primi tre mesi sono state condotte quarantatré indagini di questo tipo, e in dodici casi il rapporto è stato favorevole. Negli ultimi tempi, anche se il Generale si lamenta del numero crescente di richieste, poche sono arrivate fino a me. Sospetto che siano state fatte pressioni sui soldati affinché cambiassero idea, e che in alcuni casi gli uomini siano stati trasferiti con discrezione altrove. In ogni caso, io ne sono fuori una volta per tutte; l'FSO mi ha sollevato da questo incarico con tale finezza da farmi sospettare che, dopo un anno a stretto contatto con il lato oscuro della vita napoletana, non sia riuscito a evitare il contagio dell'ambiguità che ci circonda.

Tre giorni fa sono stato mandato a indagare su Liana Pagano, che vive in via Aniello Falcone al numero 32. Vedova, ventidue anni, orfana di madre, padre operaio alla Navale Meccanica (mai iscritto al Partito fascista), una sorella sposata con il parente di un prete, un'altra ancora a scuola, Liana è nata e ha sempre vissuto a Napoli, ha un figlio, parla un po' d'inglese, non è incinta. In altre parole, una ragazza apparentemente rispettabile, che proviene da un rispettabile ambiente popolare – il fatto che la sorella si sia imparentata con un prete è un segno importante della reputazione e della moralità della famiglia.

Liana è affabile, con una faccia fresca, senza trucco, i movimenti agili e l'aria indaffarata. Vive in due stanze spoglie, pulite e imbiancate da poco, sopra i bassi occupati da famiglie che appartengono a un gradino appena inferiore della scala sociale, e ha con sé un ragazzino sui quattro anni con gli occhi scuri e brillanti, grande quasi quanto lei. Il commissario della stazione di Polizia del quartiere, da cui ero passato in precedenza, mi aveva confermato che Liana non era schedata, e parlando di lei i tratti subdoli e rapaci della sua faccia erano sembrati ammorbidirsi un poco. È «buona come il pane», aveva detto, e tutt'a un tratto mi ero reso conto di come i napoletani nutrano per il pane ancora più rispetto che per l'oro.

Il marito, così mi ha detto Liana, è rimasto ucciso in guerra. Mi ha mostrato una cartolina scherzosa che lui le aveva spedito dalla Cirenaica il giorno prima di partire per la battaglia nel deserto da cui non avrebbe fatto ritorno. L'Africa, sono le sue parole, se l'era inghiottito. In una fotografia, unico addobbo di quella stanza monacale, lo si vedeva, chiuso fino all'ultimo bottone nell'uniforme inamidata, con i suoi bei baffi giovani girati all'insù e il cappello piumato. Aveva fatto parte dei «Lupi di Toscana» - un reparto scelto, prima che l'uragano della guerra lo spazzasse via. Ora Liana ama un sergente del Royal Electrical and Mechanical Engineers, che sembra un ragazzo tranquillo, ed è praticamente certo di sopravvivere alla guerra. Ha bisogno di un padre per suo figlio, dice.

Alla domanda cruciale «di che cosa vivi?» ha risposto mostrandomi i guanti di daino che confeziona per un negozio di via Roma. Guadagna più o meno l'equivalente di una sterlina alla settimana. Ogni tanto dà una mano nella cascina/fattoria di un cugino vicino a Casoria, a strappare le erbacce in primavera e raccogliere le mele in autunno. Per quest'ultimo lavoro la pagano un po' di più – l'equivalente di venticinque scellini alla settimana – ma è un lavoro duro, quattordici ore al giorno. Nell'Italia del Sud, ottobre è il mese più bello dell'anno. Siamo usciti sul balcone, nel sole tiepido. Tutt'intorno a noi c'erano muri bianchi, magnificamente scolpiti e increspati dalla luce. Sopra e sotto di noi, le donne stavano stendendo il bucato, e ogni tanto ci arrivavano le loro canzoni dolcissime, composte nei vicoli di Santa Lucia. È stato un momento di grande poesia. «Cerca di fare quello che puoi» ha detto Liana; io gliel'ho promesso, e me ne sono andato a stendere quel tipo di rapporto pacato e oggettivo che meglio di ogni altro ritenevo potesse giovare alla sua causa.

Dopo averlo letto, l'FSO è andato avanti col suo piano, mandando a chiamare quel mastino di investigatore del mio amico Robert Parkinson, e chiedendogli di indagare sulla ragazza. Parkinson, sapendo che in genere mi occupo io di tutti gli accertamenti matrimoniali, è rimasto sorpreso, ma non gli è stato possibile parlarmene, perché mi avevano assegnato un incarico in campagna, forse proprio con l'idea di tenermi alla larga.

Quella di Parkinson è stata probabilmente una scelta meditata, e riflette il fatto che l'FSO non ha più dubbi sulle divergenze nel nostro atteggiamento verso l'Italia e gli italiani. Un anno tra gli italiani mi ha convertito a una grande ammirazione per la loro umanità e la loro cultura, tanto che, se mi venisse offerta la possibilità di rinascere e di scegliere dove, la mia terra d'elezione sarebbe l'Italia.

Non così Parkinson. La cosa curiosa è che, di tutti noi, Robert è quello che forse si è calato più a fondo nella vita italiana, eppure a suo modo ne è rimasto estraneo. Passa tutto il suo tempo libero con amici italiani. Parla la lingua con una sorta di solenne correttezza, cita Leopardi, manda fiori e cartoncini di auguri per gli onomastici, e regali ai bambini per l'Epifania. Come Eric Williams, è capace di mettersi alla finestra del primo piano del nostro Comando e intrattenere una rudimentale conversazione con qualcuno giù in via Calabritto con i soli movimenti del capo e delle mani. In altre parole, è quasi un italiano. L'Italia e gli italiani lo affascinano. Si è appassionato, come noi, al gioco di intrighi al quale tutti partecipano. È incantato dai trucchi geniali di cui siamo spettatori. La sua curiosità è stata incessantemente stimolata, ma in lui non è mai nato l'amore. Per lui è più difficile che per me concedere a un italiano il beneficio del dubbio.

Attenendosi alle istruzioni, Robert è andato a trovare Liana, che si sarà senz'altro stupita di ricevere la visita di due militari in uno stesso giorno. Probabilmente si è seduto sulla sedia bassa e dura su cui mi sono seduto io, sopportando cupamente l'austerità della stanza, insensibile al fascino sbarazzino di Liana, e avrà notato che, a parte il tavolo, due sedie e un letto, tutto il necessario per vivere stava dentro un unico bidone di latta ammaccato. Fra sé e sé avrà paragonato l'indigenza della casa con i servizi di posate e gli abiti eleganti di cui probabilmente il sergente del REME è ben fornito. Avrà guardato la foto del Lupo di Toscana, la cui dissolta arroganza gli sarà parsa più spregevole che patetica. Avrà certamente preso atto di dove si trovava il gabinetto, e cioè, come spesso accade, dietro una specie di porta da stalla nel minuscolo angolo di soggiorno che funge da cucina.

C'è qualcosa come un'intrinseca austerità mediterranea molto evidente nella zona di Napoli, a Sorrento e a Capri, che probabilmente viene dal mare, visto che di rado la si ritrova nell'interno. Si manifesta in un gusto per gli spazi disadorni, ed è l'equivalente visivo degli intervalli di silenzio. Sospetto che Parkinson consideri questa nudità estranea e ripugnante, e che la biancheria immacolata di Liana stesa al balcone, le pareti tinteggiate e le lustre mattonelle del pavimento al posto del linoleum non abbiano esercitato su di lui alcun fascino. Probabilmente l'ha interrogata in quel suo modo lento e studiato, come un pubblico ministero, ha richiuso il suo taccuino con un terribile gesto definitivo, ha fatto un inchino e se n'è andato. Quando l'FSO mi ha chiamato per leggermi i due rapporti, nessuno avrebbe creduto che riguardassero la stessa ragazza. Così, Liana non avrà il suo marito inglese, e io non farò più indagini per i permessi matrimoniali. Grazie agli sforzi combinati del Comandante del 3° Distretto e del sergente Parkinson, d'ora in poi ci saranno ben pochi matrimoni internazionali, da queste parti.

*24 ottobre*

Un fulmine a ciel sereno. Oggi mi è stato ordinato di prepararmi a partire immediatamente per Taranto per imbarcarmi sulla *Reina del Pacifico* diretta a Port Said, dove devo raccogliere tremila soldati russi che hanno combattuto contro i tedeschi e poi si sono uniti ai partigiani. Vanno rimpatriati in Unione Sovietica, ovviamente con discrezione, passando per il Mar Rosso, il Golfo Persico e Khorramshahr, in Iran. Come sempre, le istruzioni sono vaghissime, direi criptiche. Il foglio d'ordine del Comando delle forze alleate dice che starò via «tutto il tempo necessario», ma non specifica i compiti che dovrò svolgere.

L'intuito mi dice che la mia permanenza a Napoli è giunta al termine, un presentimento rafforzato dal fatto che l'FSO si è detto quasi certo che, appena la missione sarà compiuta, verrò assegnato al fronte orientale con mansioni di collegamento con i russi.

Così mi restano solo poche ore, e non avrò il tempo di salutare neanche uno dei miei amici sparsi nelle molte città dei dintorni. Non ci sarà tempo per un ultimo bicchiere di marsala con i sindaci intriganti, o con i machiavellici capi della Polizia, che, pur con tutti i loro limiti, mi hanno sempre offerto l'ospitalità dovuta a uno straniero. Non ci sarà il tempo per un'ultima tazzina di surrogato al Gran Caffè in Galleria, per dire addio e buona fortuna alle molte ragazze che in pratica fanno parte dell'arredamento, e non me ne vogliono perché non sono stato capace di aiutarle a sposare militari alleati. Mi rendo conto che non cenerò più da Zi' Teresa, che non stringerò più la mano nodosa della vecchia zia, lei in persona, seduta dietro la vasca piena di polipi e di granchi, intenta a distinguere il suono del suo registratore di cassa dalla musica dei menestrelli della casa. Non ci sarà neppure una mezz'oretta per una corsa al Vomero, per un ultimo sguardo al panorama, oltre i giardini di Villa Floridiana, della grande città rossa e grigia in basso, che da lontano ha un aspetto assolutamente ingannevole di calma dignitosa; o per contemplare ancora una volta il sonnacchioso Vesuvio, il suo profilo così diverso da quando l'ultima eruzione lo ha rimodellato.

Invece, con già una punta della futura nostalgia, devo accontentarmi di quello che ho sottomano. Faccio i bagagli in camera, tentando nel frattempo di imprimermi nella memoria tutti i dettagli della piazza, e contemplando per l'ultima volta le statue: Proserpina – col sedere bucherellato dalle euforiche pallottole di qualche nostro pistolero – rapita da Plutone; Ercole alle prese con l'Idra. Sullo sfondo, vedo il mare infrangersi sulla spiaggia di antracite.

In ufficio per raccogliere le mie carte e stendere il rapporto quotidiano. Mi rendo conto con rimpianto di tutti quei progetti intrapresi che non saranno mai portati a termine. Un movimento a una finestra dirimpetto mi distrae, e alzando lo sguardo vedo una donna, una certa Giulietta, passare per un attimo tra le persiane, nuda dalla vita in su, come per lavarsi – una visione familiare, che ormai consideravamo semplicemente un piccolo tributo al dio della fertilità. In basso, per strada, è passato un venditore di spazzole, con un grido che ricorda il richiamo alla preghiera del muezzin. Stanno già preparando la cena, e il miracolo della buona cucina copre per un attimo con il suo aroma l'odore delle fognature. Per l'ultima volta guardo negli occhi le enormi, enigmatiche statue di donne ai lati dell'ingresso di Palazzo Calabritto, e poi giù nel cortile, dove un bambino sta facendo pipì nelle fauci di un leone di pietra.

Forse, quando tutto sarà pronto per la partenza – alle 6.30 di domattina, dalla Stazione centrale –, rimarrà almeno un attimo per passare da Lattarullo, il più fedele tra i miei alleati napoletani. So già fin d'ora che, dopo aver vacillato sotto l'impatto della notizia ed essersi poi ripreso con grande forza d'animo, mi bisbiglierà: «Ho una sorpresa per te». La chiamerà cacciagione, ma si tratterà di un muscoloso piccione cittadino catturato con la rete sul tetto di qualche casa. Si precipiterà fuori in cerca della giovane vicina, che cucinerà il volatile in umido con erbe aromatiche e aglio, e lo servirà sul grande vassoio degli antenati. Giunto il momento di separarci, Lattarullo mi prenderà la mano e mi dirà: «Domani sarò alla stazione, per vederti partire», e so che ci sarà come promesso, vestito, per l'occasione, in tutta la dignità del suo completo da «zio di Roma».

# GLI ADELPHI

ULTIMI VOLUMI PUBBLICATI:

610. Matsumoto Seichō, *Tokyo Express*
611. Shirley Jackson, *Abbiamo sempre vissuto nel castello*
612. Vladimir Nabokov, *Intransigenze*
613. Paolo Zellini, *Breve storia dell'infinito*
614. David Szalay, *Tutto quello che è un uomo*
615. Wassily Kandinsky, *Punto, linea, superficie*
616. Thomas Bernhard, *Il nipote di Wittgenstein*
617. Lev Tolstoj, *La morte di Ivan Il'ič, Tre morti e altri racconti*
618. Emmanuel Carrère, *La settimana bianca*
619. *A pranzo con Orson. Conversazioni tra Henry Jaglom e Orson Welles*
620. Mark O'Connell, *Essere una macchina*
621. Oliver Sacks, *In movimento*
622. Fleur Jaeggy, *Sono il fratello di XX*
623. Georges Simenon, *Lo scialle di Marie Dudon*
624. Eugène N. Marais, *L'anima della formica bianca*
625. Ludwig Wittgenstein, *Pensieri diversi*
626. Georges Simenon, *Il fidanzamento del signor Hire*
627. Robert Walser, *I fratelli Tanner*
628. Vladimir Nabokov, *La difesa di Lužin*
629. Friedrich Dürrenmatt, *Giustizia*
630. Elias Canetti, *Appunti 1942-1993*
631. Christina Stead, *L'uomo che amava i bambini*
632. Fabio Bacà, *Benevolenza cosmica*
633. Benedetta Craveri, *Gli ultimi libertini*
634. Kenneth Anger, *Hollywood Babilonia*
635. Matsumoto Seichō, *La ragazza del Kyūshū*
636. Georges Simenon, *Il capanno di Flipke*
637. Vladimir Nabokov, *Lezioni di letteratura*
638. Igino, *Miti*
639. Anna Politkovskaja, *La Russia di Putin*
640. I.J. Singer, *La pecora nera*
641. Inoue Yasushi, *Ricordi di mia madre*
642. Rebecca Skloot, *La vita immortale di Henrietta Lacks*
643. Oliver Sacks, *Vedere voci*
644. Leonora Carrington, *Il cornetto acustico*
645. Anna Politkovskaja, *Diario russo*
646. Anna Politkovskaja, *Per questo*
647. Michael Pollan, *Come cambiare la tua mente*
648. Georges Simenon, *Turista da banane*